PRACTICA DEL BRICOLAJE

Instalación de tuberías

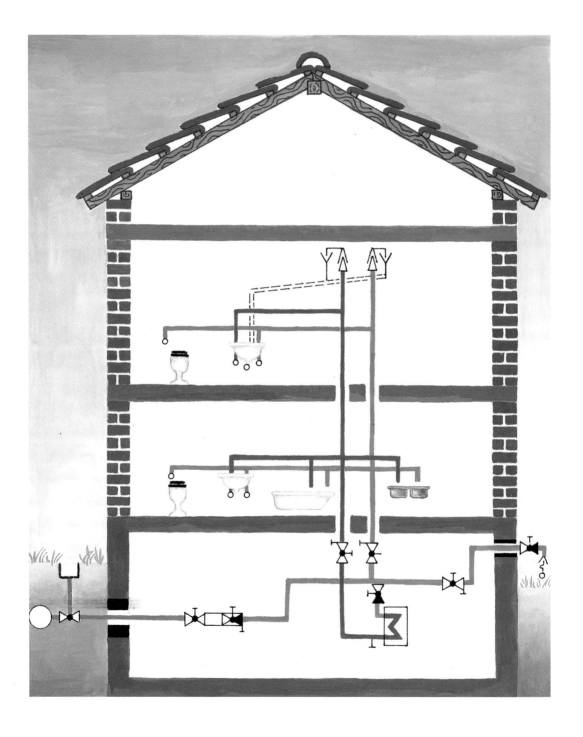

Abastecimiento de agua

La red de tuberías de cada vivienda está formada por una sección de abastecimiento y otra de desagüe.

Las tuberías de abastecimiento (véase esquema de la pag. 6) transportan el agua potable que ha sido condicionada previamente para el consumo por la compañía de aguas. El agua se conduce a través de una red de tuberías con bombas de agua hasta el consumidor final. Un elemento importante para el consumidor y para la elección del material de las tuberías (véase capítulo «Tuberías de agua potable», pág. 11) es el denominado grado de dureza del agua. Este valor, que puede facilitarlo la compañía de aguas, nos informa de las sustancias minerales disueltas en el agua potable (sobre todo, calcio y magnesio). Bajo la influencia de temperaturas altas, estas sustancias muestran una desagradable característica: se depositan en forma sólida en las tuberías de agua y en los aparatos de la vivienda.

Se pueden distinguir diferentes niveles y grados de dureza del agua:

Nivel 1 = 1-7°
Nivel 2 = 7-13°
Nivel 3 = 13-21°
Nivel 4 = 21° o más

Principios básicos de instalación

Las tuberías del agua no se deben instalar en ningún caso

empotradas en el suelo del sótano, y las tuberías de agua fría se han de colocar siempre por debajo de las de agua caliente (el calor asciende). La norma DIN de 1988 prescribe que, en puntos de toma dispuestos uno junto a otro, el dispositivo de cierre para el agua caliente se sitúe a la izquierda y el del agua fría a la derecha. Esto es válido también para las griferías mezcladoras.

Las tuberías de agua potable no deben estar unidas en ningún caso con instalaciones de agua no potable. La legislación prescribe el empleo de sistemas para impedir el reflujo y válvulas de conexión de aparatos con ventilación de los tubos. Por este motivo, todas las bocas de grifería de los lavabos o de otras instalaciones deben estar situadas como mínimo 20 mm por encima del nivel de agua sucia más alto.

Evacuación de aguas residuales

El agua utilizada, agua sucia, se elimina a través de tuberías de evacuación de aguas residuales. Estas tuberías de desagüe deben ser impermeables a los gases para las posibles variaciones de presión. Para su instalación sólo se pueden utilizar componentes ajustados a la norma DIN con el correspondiente distintivo. Esto, naturalmente, también es válido para los trabajos de empalme o las reparaciones en las tuberías de desagüe

que se tengan que realizar en el marco de una renovación o modernización del cuarto de baño. El esquema de las tuberías de desagüe de una vivienda está representado en la página 30. Otras informaciones sobre el material de los tubos e instrucciones prácticas sobre la instalación se encontrarán en el capítulo «Tuberías de desagüe».

Protección eléctrica

Todos los componentes metálicos de las instalaciones sanitarias necesitan una protección eléctrica local. Esto quiere decir que los desagües de la ducha y de la bañera, las tuberías de agua y también las tuberías de la calefacción deben estar unidos entre sí mediante el conductor de protección o toma de tierra. Este conductor también es necesario aunque no exista equipamiento eléctrico alguno en el cuarto de baño.

El conductor de toma de tierra es un cable de cobre aislado (verde-amarillo) de 4 mm^2 de diámetro, como mínimo, o un fleje de acero galvanizado de, al menos, 2,5 x 20 mm. Este conductor se une en el distribuidor o en el raíl de toma de tierra con el conductor de protección. En bañeras de acero con tubo de desagüe de plástico únicamente se conecta la bañera.

Las duchas y las bañeras tienen una lengüeta en la parte inferior, con una perforación en la que se puede fijar con un tornillo el cable de protección eléctrica.

Ejemplo: instalación de un baño

En la renovación de un viejo ático surgió la necesidad de instalar un cuarto de baño amplio. Como el antiguo lavabo no era suficientemente grande, se aprovechó una parte de la cocina, muy espaciosa, para dividir la habitación e instalar un cuarto de baño. La habitación de la cocina era muy adecuada ya que existían tomas de agua y el bajante para el desagüe **(Fig. 1)**. El resultado puede observarse en la fotografía de la página 2. En primer lugar, el pequeño tragaluz fue sustituido por tres grandes ventanas al nivel del tejado, que se montaron directamente sobre el lugar destinado a la bañera **(Fig. 2)**.

Para rectificar las paredes torcidas y muy inclinadas y disponer de una pared sobre la que se pudiera instalar el alicatado, se tuvieron que colocar placas de cartón-yeso. Para ello se construyó una estructura de soporte con gruesos puntales de madera de 6 × 6 cm que se ancló en el antiguo maderamen con tornillos largos de hasta 25 cm de longitud **(Fig. 3)**. El hueco libre por detrás de los puntales proporcionó espacio para la instalación de tubos de agua y calefacción. También se instalaron de este modo los tubos de plástico para el desagüe con un desnivel del 2%. Para ello se tuvieron que separar un poco los maderos de la pared o picar el revoque antiguo **(Fig. 4)**. El trabajo de instalación de los sa-

Figura 1

Figura 3

Figura 2

Figura 4

Figura 5

Figura 6

Figura 7

nitarios se efectuó en colaboración con un profesional que podía aconsejar en la planificación y ayudar en la realización de los trabajos más difíciles. Mientras que la instalación de las tuberías de agua requería conocimientos de soldadura, los tubos de desagüe sólo se tenían que encajar con la junta anular. El montaje de los dos lavabos en las esquinas requirió una compleja estructura de madera en la que se atornillaron los marcos de fijación para los lavabos. Aquí se fijaron también los tubos del agua y de desagüe con una abrazadera **(Fig. 5)**, de modo que luego sólo se tuvo que colgar la taza del lavabo y unir las tuberías para la grifería y el sifón. Toda la estructura del bastidor se cubrió con placas de cartón-yeso apropiadas para locales húmedos y también las paredes y los planos inclinados del cuarto de baño.

Como alternativa también se habrían podido utilizar tableros de aglomerado de madera resistentes al agua.

Las placas se colocaron encajadas, y las juntas se emplastecieron adicionalmente con una tira de protección **(Fig. 6)**.

Los pasos necesarios para las conexiones eléctricas y de los sanitarios se cortaron en todos los casos en las placas antes del tendido. Así fue posible ahorrarse más tarde una búsqueda innecesaria de cables y tubos. También el suelo tuvo que renovarse. Sobre el viejo suelo de madera se aplicó un emplastecido para corregir las irregularidades y sobre él se colocaron luego tableros de aglomerado machihembrados resistentes al agua. La superficie se tuvo que mejorar con una capa de imprimación antes de continuar el trabajo.

El siguiente paso consistió en el tabicado de la bañera y del plato de la ducha y en la construcción de la obra del pequeño podio. Como material de construcción pareció adecuado el empleo de hormigón gaseado **(Fig. 7)**. Estos bloques ligeros no sólo se podían encontrar en muchas formas diferentes sino que además se trabajan fácilmente. Para el corte sólo se necesitó un serrucho de dentado basto. Mientras que la bañera se instaló en un lecho de mortero, el plato de la ducha se fijó con adhesivo elástico de azulejos, resistente al agua, sobre dos piezas de hormigón gaseado en posición perfectamente horizontal. En lugar de estas dos piezas también se pueden emplear patas de ducha de altura regulable que permiten una

Figura 8

Figura 9

Figura 10

corrección precisa de la posición de la ducha o la bañera. A continuación se construyó el tabicado de la bañera y la ducha y la obra del podio con placas delgadas de hormigón gaseado. Las superficies de hormigón gaseado se trataron además con una imprimación antes del alicatado, para que el pegamento de azulejos no secara demasiado deprisa, y luego se procedió al alicatado. Los azulejos blancos, que, como el alicatado del suelo, se dispusieron en capa delgada con adhesivo elástico y se rejuntaron, se colocaron a partir del centro. Después se revistieron los planos inclinados con tablas de madera perfiladas que se clavaron con gan-

chos para tablas y largas grapas **(Fig. 8)**.
La taza del lavabo se colgó en dos pernos con rosca, anclados en la pared, y luego se conectó con la válvula de desagüe y el cierre inodoro a la tubería de desagüe.
La grifería se conectó con dos válvulas de escuadra a las tuberías de agua caliente y agua fría, y los tubos correspondientes se serraron con la longitud necesaria para el empalme **(Fig. 9)**.
La bañera es una versión para el ángulo con la grifería montada en la bandeja. El montaje de esta grifería se tuvo que planificar cuidadosamente al instalar las tuberías del agua ya que se aparta de lo habitual.

Finalmente se atornilló la mampara de la ducha a juego con la grifería roja, que se había medido y cortado previamente, y sólo se tuvo que colocar en los perfiles montados en la pared **(Fig. 10)**.
Para que estos carriles estén perfectamente rectos, es imprescindible utilizar un nivel de burbuja al marcar los taladros. Para no estropear los azulejos al taladrar es conveniente trabajar con la taladradora sin percutor y utilizar una broca para piedra bien afilada.
A continuación se atornilla el carril y se inyecta silicona desde el exterior. Pasando un dedo mojado en agua enjabonada sobre la silicona se obtiene una junta lisa.

Tuberías de agua potable

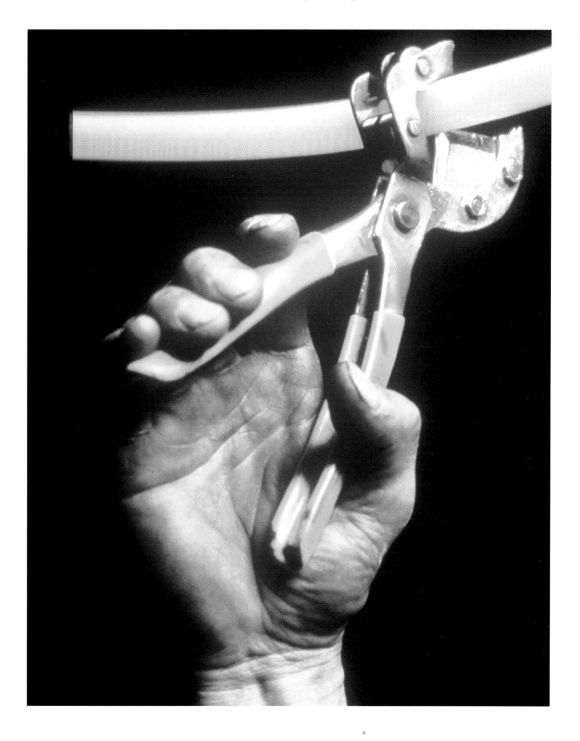

Materiales para tubos

Para las tuberías de agua potable (véase esquema en la pág. 6) se pueden utilizar diferentes materiales, tales como: tubo de cobre **(Fig. 1)**, tubo de acero galvanizado y diferentes tubos de plástico.

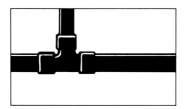

Figura 1

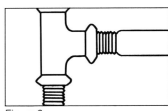

Figura 3

Para el aficionado es más sencillo trabajar con tubos de plástico, que se unen con juntas o se pegan **(Fig. 2)**. Por regla general, estos tubos sólo se pueden conseguir en el mayorista o a través de un instalador y, por lo tanto, no siempre se dispone de este material.

Con un poco de habilidad y práctica también se pueden utilizar los tubos de cobre. La técnica de trabajo se describe en el apartado «Preparación de los tubos de cobre» en la página 13. El tubo de acero galvanizado sólo está permitido en tuberías de agua fría, y su empleo no es sencillo debido a la necesidad de frecuentes uniones de rosca **(Fig. 3)**. En la actualidad los instaladores lo utilizan cada vez menos.

En las casas antiguas todavía es posible encontrar tubos de plomo **(Fig. 4)**, sin embargo éstos ya no pueden emplearse en las instalaciones nuevas. El plomo resulta perjudicial para la salud porque se disuelve en pequeñas cantidades en el agua destinada al consumo; por este motivo, como norma general las conducciones de plomo deberían sustituirse siempre. No obstante, si esto no es posible, es conveniente que por la mañana deje correr el agua que ha permanecido en las tuberías durante la noche antes de coger agua para cocinar.

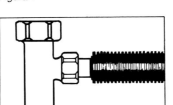

Figura 2

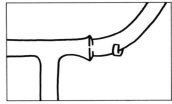

Figura 4

Cómo se reconocen los tubos de plomo

Antes de empezar los trabajos de renovación puede solicitar información a la empresa de suministro de agua local sobre si en la calle o en la acometida se mantiene todavía el tendido con tubos de plomo. Por lo general, éste no será el caso, ya que las acometidas de plomo han sido ampliamente sustituidas en el transcurso de las últimas décadas por las compañías de suministro. El siguiente paso debe ser la revisión de la instalación de la vivienda. Algunas características claramente visibles facilitan el reconocimiento de los tubos de plomo. El material no laqueado es gris plateado y muy blando. Debido a la facilidad con que se curvan, estos tubos nunca se instalan totalmente rectos sino que siempre serpentean ligeramente o forman arcos. Los puntos de unión de los tubos son especialmente abom-

bados y se puede hacer una marca con un cuchillo en el plomo blando. Los tubos de cobre y de acero galvanizado siempre se instalan en líneas rectas. Los tubos rojizos de cobre suelen empalmarse con uniones encajadas y luego se sueldan. Los tubos de acero, que sin laqueado se parecen a los tubos de plomo, siempre se roscan. En caso de duda se puede hacer una sencilla prueba con un imán: al contrario que el acero, el plomo no es magnético.

Cuando se trata de tubos empotrados en la pared, sólo un análisis del agua (información en la empresa potabilizadora) permitirá sacar conclusiones sobre el posible contenido de plomo en el agua para el consumo.

Aquí hay que tener en cuenta que, en muchos edificios antiguos, durante las últimas décadas partes de la instalación de plomo se sustituyeron por tubos de otros materiales pero a menudo esto se hizo sólo en lugares de fácil acceso por fuera de la obra o sobre el piso.

En instalaciones parcial o total-mente de plomo los especialistas recomiendan siempre el sanea-miento completo de la instala-ción de agua potable. En estos casos, por lo tanto, el propietario de la casa deberá tomar una de-cisión al respecto.

Preparación de los tubos de cobre

Material

Los tubos de cobre se emplean en toda la sección de agua pota-ble. Existen tubos con diferen-tes diámetros y diferentes gro-sores de pared en cañas de 5 m de longitud y en rollos de 25 a 50 m de longitud. Las cañas de tubo de cobre son duras; esto significa que apenas es posible curvar el tubo utilizando sólo las manos sin el empleo de herra-mientas.

Una ventaja es que las piezas de tubo colocadas de material de caña son muy rectas. Por ese motivo, el tubo de cobre duro se emplea sobre todo para tuberías visibles. Mediante el calentamiento con un soplete, el tubo de cobre duro se ablanda. Este procedimiento se emplea cuando el material de caña se debe curvar o deformar de al-gún modo.

El tubo de cobre en rollos es tan blando que puede curvarse con las manos o presionando sobre la rodilla. Al hacerlo hay que procurar que la curvatura no sea demasiado acentuada porque el tubo podría llegar a quebrarse. El tubo de rollo se coloca en lu-gares en los que el aspecto

Diámetros habituales de los tubos de cobre:	
Tubos de cobre duro en cañas (en mm)	Tubos de cobre blando en rollos (en mm)
6 × 1	8 × 1
8 × 1	10 × 1
10 × 1	12 × 1
12 × 1	15 × 1
15 × 1	18 × 1
18 × 1	22 × 1
22 × 1	
22 × 1,5	
35 × 1,5	
y mayores	

El primer número corresponde al diámetro exterior; el segundo al grosor de la pared. 22 × 1 significa que el diámetro exterior es de 22 mm y el grosor de la pared de 1 mm.

externo no es demasiado im-portante, en lugares ocultos o en tuberías bajo revoque. El tubo blando tiene la ventaja de que su instalación es más rápida.

Como también se puede colocar formando un arco, no se tienen que soldar codos para cada cambio de dirección y, por tanto, las grandes longitudes ahorran puntos de empalme.

El tubo blando y el duro alcan-zan ambos el mismo nivel de calidad. Los dos tipos se pue-den conseguir como tubo des-nudo o tubo aislado.

El tubo aislado se utiliza en tube-rías de agua caliente con el fin de reducir las pérdidas de calor. En las tuberías de agua fría el aislamiento evita la formación de agua de condensación.

También se puede conseguir el mismo efecto instalando tubo sin aislamiento y aislándolo uno mismo, pero el tubo aislado tie-ne la ventaja del ahorro de tiem-po. De todos modos, los puntos de soldadura se deben aislar posteriormente.

Preparación

Herramientas:
• Sierra para metales
• Cortatubos
• Desbarbador
• Juego de calibradores
• Muelle de flexión

Operaciones:
• Cortar el tubo
• Desbarbar
• Calibrar el tubo
• Curvar el tubo

Corte
La herramienta más sencilla para el corte de los tubos de cobre es el cortatubos, que aparece en la figura (**Fig. 1**) a la izquierda, junto a algunos muelles de flexión para curvar tubos de diferentes tama-ños. Por eso es un elemento im-prescindible en cualquier caja de herramientas. El tubo se aprieta entre los rollos de guía y la rueda de corte (**Fig. 2**) y, mientras se hace girar el mecanismo de corte en torno al tubo, la rueda de cor-te se desplaza de forma conti-nuada pero cuidadosa.

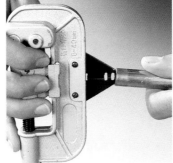

Figura 1

Figura 3

Figura 2

Figura 4

cialmente los tubos de cobre blando cromados de 8 a 10 mm de la grifería y de las conexiones de válvulas de escuadra se deforman con facilidad. Para efectuar la corrección hay que introducir primero la espiga del calibrador y colocar luego el anillo de calibrado sobre el exterior del tubo **(Fig. 4)**. Así se evitan empalmes de aplastamiento no estancos.

Curvado
Si se dispone de espacio suficiente, no es necesario soldar un codo sino que basta con curvar el tubo de cobre. El tubo blando de rollo se puede curvar de forma prudente utilizando la mano o la rodilla como punto de apoyo, ¡pero el tubo no debe quebrarse! Es preferible utilizar un aparato sencillo de curvado con el que el arco resulta más regular.
Cuanto menor sea el ángulo de curvatura, más difícil será doblar el tubo con la mano. Si el radio de curvatura ha de ser menor que el diámetro exterior del tubo multiplicado por seis, el tubo no se doblará con la mano porque puede romperse.
Para arcos más pequeños se utilizará un instrumento de curvado. En general son alicates para curvar tubo y muelles de flexión **(Fig. 5)**, que se pueden aplicar sin pernos roscados y tornillo de banco en tubos de hasta 33 mm de diámetro. Aunque se utilice un instrumento, no se puede formar un arco tan pequeño como se desee. El radio de curvatura en el tubo blando no debe ser más pequeño del triple del diámetro exterior. Los tubos de cobre duros (cañas) no se pueden doblar en ningún caso con la mano, y con un instrumento de curvado se puede

Es importante no desplazarla demasiado de una vez porque el tubo aprieta contra la rueda de corte y puede dañarla. Por eso, la norma de trabajo debe ser girar y desplazar con mayor frecuencia (según el grosor de la pared, de 5 a 7 vueltas). También se puede cortar el tubo de cobre con una sierra para metales de dentado fino, ¡pero al hacerlo hay que procurar cortar en ángulo recto! La sierra es imprescindible cuando hay que trabajar en tubos ya instalados y el cortatubos no se puede utilizar porque hay poco espacio. Lo más apropiado es emplear una sierra de calar.

Desbarbado
Después del corte hay que eliminar la rebaba del interior del

tubo, que puede dificultar la circulación del agua. La rebaba exterior que se produce al cortar con la sierra resulta molesta al trabajar con accesorios (piezas de empalme) y, además, puede ocasionar heridas durante la manipulación. El cortatubos lleva incorporada una cuchilla puntiaguda abatible **(Fig. 3)** que se gira a presión en el tubo y corta la rebaba interna.
La rebaba externa se elimina con una lima plana. Resulta más apropiado todavía un desbarbador cónico en el que se acoplan hojas para el desbarbado exterior o interior.

Calibrado
Calibrar significa dar el diámetro exacto al tubo que se ha deformado por algún motivo. Espe-

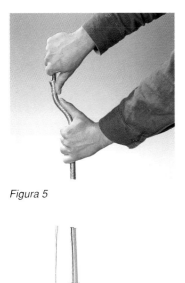

Figura 5

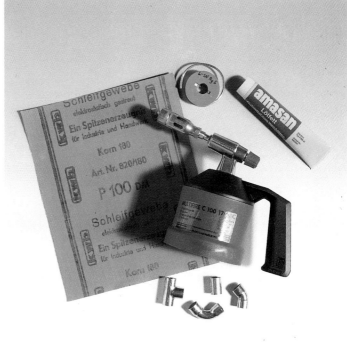

Figura 6

Figura 1

formar un arco con un radio mínimo de cuatro veces el diámetro exterior. Es preferible ablandar el tubo duro con el soplete en el punto de curvado y luego doblarlo como el tubo blando.

Los tubos de cobre delgados se deben curvar con ayuda del muelle de flexión para que el tubo no se rompa. El muelle de flexión debe corresponder al diámetro del tubo; así, proporciona al tubo una guía segura y distribuye uniformemente la presión del curvado. Se introduce en el tubo por la abertura en forma de embudo y se debe sacar después en la dirección del embudo. Por lo tanto, la abertura en forma de embudo debería señalar siempre el extremo del tubo más corto para que el muelle se pueda sacar fácilmente.

La curvatura se da a mano alzada y hay que elegir siempre el mayor radio posible.

INFORMACIÓN COMPLEMENTARIA

Es conveniente reproducir primero con un alambre la forma del codo y utilizarla como plantilla **(Fig. 6)**; a continuación, el tubo se adapta a esta forma.

Soldadura

La unión de los tubos de cobre se efectúa con soldadura blanda o soldadura fuerte. Los dos procedimientos tienen en último término el mismo valor; la dife-

rencia reside en la temperatura de trabajo y, por lo tanto, también en el material de soldadura utilizado.

Soldadura blanda

Herramientas y material:
• Soplete con cartucho de gas o botella de propano
• Fundente
• Soldadura
• Papel esmeril

Operaciones:
• Limpiar la zona de soldadura
• Aplicar el fundente
• Calentar la zona de soldadura
• Soldar

En la soldadura blanda se utiliza soldadura con un punto de fusión por debajo de 450 °C.

Figura 2

Figura 3

Figura 4

Para la instalación de cobre sólo se permite una soldadura: la soldadura de estaño normalizada con la identificación L-SnCu3. Las antiguas soldaduras que contenían plomo ya no están permitidas por motivos sanitarios. Al comprar, es importante comprobar que la soldadura lleva la identificación correspondiente.

Debido al bajo punto de fusión de la soldadura, es suficiente una fuente de calor muy simple. Los profesionales utilizan, en general, sopletes de propano que se conectan a través de una manguera y una válvula de presión mínima a las clásicas botellas de propano. Aún resultan más baratos los aparatos de soldadura portátiles (**Fig. 1**), semejantes a un pulverizador, en los que se rosca una boquilla. Con una duración de combustión de más de una hora, es posible hacer con ellos algunos puntos de soldadura.

Otras fuentes de calor son los sopletes de bencina, las denominadas lámparas de fontanero. Además, pueden utilizarse otras fuentes de calor como, por ejemplo, los sopletes de gasoxígeno que se utilizan para soldadura fuerte o soldadura autógena. Para soldar se necesita

además un fundente, que elimina la capa de oxidación del cobre e impide la formación de óxidos durante el proceso de soldadura. En la soldadura blanda se utiliza generalmente grasa de soldar, que se aplica sobre el tubo de cobre antes de empezar la soldadura y se volatiliza durante el proceso. Al cortar el tubo es frecuente que el extremo se deforme y las dimensiones de la pieza de empalme no se mantengan. La herramienta de calibrado garantiza la exactitud de estas medidas.

En la soldadura blanda se deben efectuar los siguientes pasos:

- Pulir cuidadosamente hasta que tenga brillo metálico el extremo del tubo en el exterior y el interior del accesorio con papel esmeril (grano 240 o más fino) o con lana de acero (**Fig. 2**). Esto es necesario para que la soldadura pueda fluir en toda la zona de la junta.
- Aplicar una capa fina de fundente sólo en la parte exterior del extremo del tubo (grasa de soldadura) de modo que no se introduzca fundente en el interior del tubo (**Fig. 3**). Este material es tóxico y en

ningún caso debe introducirse en la tubería de agua potable.
- Introducir el extremo del tubo hasta el tope en el accesorio (**Fig. 4**) y calentarlo con llama blanda regularmente hasta alcanzar la temperatura de trabajo.
- Con la llama apartada fundir la soldadura en la junta hasta que se pueda ver un anillo de soldadura en torno al empalme (**Fig. 5**).
- Limpiar con el trapo los restos de fundente.

En la soldadura blanda se emplean normalmente accesorios. Éstos son piezas de adaptación y unión de fabricación tan precisa que la distancia entre el tubo y el accesorio en la zona de soldadura es de 3/10 mm como máximo. Así queda garantizado que la soldadura fluida, mediante el efecto de capilaridad, llene toda la junta. Se pueden adquirir accesorios de diferentes formas. Existen piezas de empalme rectas, piezas reductoras con dos diámetros distintos, codos de 90° o de 45° o derivaciones con el mismo diámetro o con diámetro distinto. Los accesorios se fabrican de cobre o de latón rojo. Los de cobre se utilizan para unir tubos de cobre, y los de latón rojo para conectar grifería. En la soldadura blanda se pueden soldar con la misma soldadura que los tubos.

Figura 5

INFORMACIÓN COMPLEMENTARIA

En las tuberías de agua potable sólo se pueden utilizar soldadura y fundentes especialmente autorizados para este fin. Sólo son aceptables soldaduras que no planteen objeción alguna desde el punto de vista higiénico y, sobre todo, toxicológico; es decir que, por ejemplo, no contengan plomo. Por eso el envoltorio de la soldadura, además de los datos del fabricante y el número DIN, debe llevar impresa una indicación de su idoneidad para el empleo en tuberías de agua potable. Para soldadura blanda rige la norma DIN 1707, y para la soldadura fuerte, la DIN 8513. El fundente para soldadura blanda se debe ajustar a la norma DIN 851. Antes de entrar en servicio, siempre se debe limpiar a fondo el interior de las tuberías.

Soldadura fuerte

Herramientas y material:
- Soplete de soldadura autógena para mezcla acetileno-oxígeno
- Eventualmente, fundente
- Soldadura fuerte en varillas
- Papel esmeril

Operaciones:
- Limpiar la zona de soldadura
- Aplicar el fundente
- Calentar la zona de soldadura
- Soldar

Junto a la soldadura blanda, en las instalaciones de tubo de cobre también es habitual utilizar la soldadura fuerte.

Debido a las altas temperaturas de trabajo, en este tipo de soldadura se utilizan otras fuentes de calor: el soplete de acetileno-oxígeno (**Fig.** 6) o el soplete de propano-oxígeno. En el mismo soplete se unen los dos gases (**Fig.** 7) y el ajuste fino se efectúa por medio de dos ruedas de ajuste. Existen además sopletes que trabajan con una mezcla aire-propano de modo que es posible ahorrarse la botella de oxígeno. Pero, puedo decir por experiencia propia que los resultados con este último sistema, especialmente en lugares estrechos, no son tan buenos, y es preferible el soplete con acetileno y botella de oxígeno.

Una soldadura que se utiliza con frecuencia para la soldadura fuerte es la L-Ag2P, constituida por cobre, 2% de plata y fósforo. La temperatura de trabajo es aproximadamente de 710 °C. Esta soldadura tiene la ventaja de que fluye con facilidad y no necesita fundente; por lo tanto, desaparece el paso de aplicación del fundente. Tampoco hace falta bruñir el cobre, de modo que sólo son necesarias las operaciones siguientes:

Figura 6

Figura 7

Figura 8

- En primer lugar, se introduce el extremo del tubo en el accesorio y se calienta uniformemente con la llama.
- Se mantiene la llama en la zona de unión (**Fig.** 8) y se da soldadura hasta llenar la hendidura.

Como esta soldadura no resulta barata debido al contenido de plata, se desarrolló una soldadura sustitutoria con características semejantes pero sin plata. Su descripción normalizada es L-CuP6. Su temperatura de trabajo (730 °C) sólo es un poco más alta, de modo que en muchos casos no existe distinción alguna en el trabajo con los dos tipos de soldadura. Para la soldadura de piezas de empalme y grifería de latón o de latón rojo se utilizan las mismas soldaduras. Para hacer una buena unión se utiliza un fundente, por ejemplo, el fundente para soldadura fuerte F-SH 1.

Las operaciones que hay que realizar en la soldadura fuerte con fundente son las mismas que se efectúan en la soldadura blanda. También es especialmente importante la limpieza de la zona de soldadura puesto que el efecto ácido del fundente provoca la aparición de una gruesa capa de corrosión verde.

Una última indicación importante a tener en cuenta sobre el tipo de soldadura utilizado: las soldaduras blandas son apropiadas para la unión de tuberías de agua potable y de calefacción hasta una temperatura de 110 °C.

Las soldaduras fuertes L-Ag2P y L-CuP6 se utilizan para todas las tuberías de agua y calefacción así como para las tuberías de gas.

Aviso importante para la seguridad. ¡Las tuberías de gas no se deben soldar en ningún caso con soldadura blanda! Esta restricción se debe respetar escrupulosamente ya que en caso contrario podrían producirse daños de consideración.

Soldadura sin accesorios
En la soldadura fuerte se puede prescindir de los accesorios si uno mismo se hace los manguitos y las derivaciones. Para ello el extremo del tubo en los tubos duros se calienta hasta ablandarlo y luego se ensancha con unos alicates para manguitos.

Instalación de tubos de cobre y montaje de derivaciones

Herramientas y material:
- Herramientas para cortar tubo
- Equipo para soldadura blanda o soldadura fuerte
- Herramientas para hacer rozas
- Taladradora
- Destornillador
- Nivel de burbuja
- En su caso, juego de calibradores

Operaciones:
- Vaciar la tubería
- Determinar la posición de la derivación
- Bajo revoque: hacer la roza y colocar las bridas
- Cortar el trozo de tubo
- Si es necesario, hacer una pieza de rodeo
- Soldar el accesorio en T
- Soldar la pieza de rodeo
- Soldar el nuevo trozo de tubo
- Soldar los nuevos trozos de tubo y apretar todas las bridas
- Lavar el interior de la tubería y comprobar la estanqueidad

En todos los trabajos que se efectúen en las tuberías de agua potable —tanto si se inter-

Figura 1

Figura 2

cala una grifería nueva como si se monta una derivación— se debe cerrar la tubería del agua y vaciarla **(Fig. 1)**. Esto se lleva a cabo mediante la llave de paso más próxima, pero ésta debe estar suficientemente alejada del punto en que se trabaja para que en ningún caso pueda ser alcanzada por las temperaturas que más tarde se producirán al soldar. En caso de duda, se corta el paso completamente en la tubería principal.

Al marcar la posición de la derivación **(Fig. 2)** hay que calcular una ligera subida de la tubería hasta el punto de toma. En una instalación bajo revoque se marca primero el límite del canal de la tubería con un tallador y luego se hace la roza. Con un cincel eléctrico el trabajo se

Figura 3

Figura 5

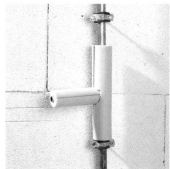

Figura 7

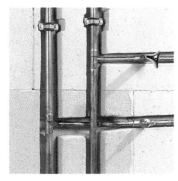

Figura 4

Figura 6

Figura 8

efectúa con rapidez y sin esfuerzo **(Fig. 3)**.

Si sólo hay que derivar un ramal, la derivación se puede efectuar mediante un sencillo accesorio en T, pero si hay que derivar agua caliente y fría, se deberá montar una pieza de rodeo en torno al tubo **(Fig. 4)**. Antes hay que comprobar que la pared sea suficientemente gruesa para llevar a cabo un trabajo de este tipo. El paso tendrá siempre como mínimo el grosor de un tubo por detrás de la tubería ascendente.

La instalación propiamente dicha se efectúa del siguiente modo. Primero se aflojan las bridas de la tubería ascendente vaciada en toda su longitud. Así se puede estirar fácilmente hacia delante y se corta con el cortatubos en el lugar correspondiente. Si esto no es posible, se deberá utilizar la sierra para metales. Luego se desbarban y se limpian los puntos de corte y se controla el calibre del tubo con el juego de calibradores. A continuación se suelda el accesorio en T y, si se necesita una pieza de rodeo, ésta se suelda a la tubería ascendente. Finalmente, se sueldan los trozos de tubo, se colocan las abrazaderas y se suelda el tubo con el accesorio en T a la derivación. Con frecuencia es conveniente instalar una llave de paso justo después de la derivación **(Fig. 5)**.

Para comprobar la estanqueidad, en lugar de roscar la grifería nueva se utiliza un grifo antiguo. Luego se lava bien la tubería. Para ello se conecta una manguera, se abren la llave de paso y luego el grifo del agua y se hace correr el agua hasta que sólo salga agua limpia. Para la prueba de estanqueidad se cierra el grifo provisional en el punto de toma. En cuanto la instalación soporte toda la presión de funcionamiento, se manifestarán las posibles fugas. Antes de empotrar las tuberías bajo revoque, las de agua fría se tienen que aislar contra el agua de condensación, y las de agua caliente contra pérdidas de calor. Existen numerosos materiales diferentes que pueden utilizarse para el aislamiento.

Al colocar el aislamiento hay que dejar espacios libres para la grifería intermedia **(Fig. 6)** y para las bridas. Para las derivaciones en T de tubos delgados se corta un agujero en el aislamiento del tubo grueso y se continúa el trabajo **(Fig. 7)**. El revestimiento de espuma también se puede colocar en los ángulos (para ello hay que cortar el ángulo interno del aislamiento) **(Fig. 8)**. Después de colocar el aislamiento es posible revocar por encima.

Rozas y pasos

Actualmente, en las viviendas se evita, siempre que es posible, la colocación de tubos visibles sobre la pared. Junto a la moderna instalación de doble pared existe también la alternativa de colocar los tubos empotrados. Dado que este sistema requiere la ejecución de trabajos de fresado, corte o incluso de picado, deberían estudiarse bien el emplazamiento y las condiciones generales de la edificación.

Las rozas para instalación de tuberías empotradas pueden afectar la firmeza de los muros. Las rozas horizontales en los muros de carga y rigidizadores deberían hacerse siempre consultando previamente a un especialista en cálculos de estática.

Las regatas verticales se deben reservar al hacer la obra y, a continuación, hay que eliminar limpiamente el material de construcción **(Fig. 1)**. Las rozas verticales realizadas con posterioridad se pueden cortar, por ejemplo, con una fresadora abrerrozas **(Fig. 2)**; no es aceptable hacerlas con martillo y punzón.

Al calcular la anchura y la profundidad de las rozas no sólo hay que tener en cuenta el diámetro del tubo sino también el

Figura 1

Figura 2

Figura 3

Figura 4

aislamiento y las bridas. Los tubos se pueden fijar con ganchos para clavar **(Fig. 3)** que no necesitan tacos o con bridas atornilladas con aislamiento insonorizante **(Fig. 4)** y tacos. Los tubos deben quedar instalados sin tensiones y luego revocarse con superficies bien enrasadas para que no aparezcan abombamientos al alicatar **(Fig. 5)**.

Figura 5

Para la profundidad de las rozas verticales son válidos los siguientes valores máximos en centímetros		
Grosor de la pared en la obra	Espacio libre en la obra	Rozas fresadas
11,5	–	2
17,7	6,0	3
24,0	12,5	4
30,0	12,5	5
36,5	12,5	6

Medidas para la instalación de tubos

Es muy cómodo que las duchas estén equipadas con varias salidas de agua, y en este caso, como es lógico, hay que respetar determinadas distancias desde la superficie de base para fijar la altura de montaje correspondiente.

Las duchas de cabeza deberían montarse a 200-240 cm de altura, las duchas de cuerpo a 170-200 cm, las de espalda a 100-130 cm y las bajas a 50-60 cm de altura. El usuario debería alcanzar la grifería sin necesidad de atravesar el chorro de agua. Lo mejor es disponerla a la derecha de la barra de la ducha o de la ducha de cabeza. ¡Recuérdelo al instalar la tubería!

Aunque en las duchas la mejor solución consiste en mezcladores monomando o baterías de termostato, también pueden colocarse griferías con dos mandos en las que el agua fría y el agua caliente se regulen separadamente. En este caso es preciso tener en cuenta que la distancia entre el agua caliente y el agua fría, de centro a centro, debe ser de 15,4 cm para que se pueda montar toda la grifería de la ducha de uso corriente. En modelos especiales deben calcularse distancias superiores o inferiores según el modelo. La altura de montaje de las bocas y la palanca de servicio es de unos 120 cm. Mientras que los platos de ducha, por lo general, desaguan mediante un sumidero en el suelo, en los lavabos el tubo de desagüe se debe llevar a la pared. La distancia entre el borde superior del suelo acabado y el cen-

Figura 1

tro de la abertura para el tubo es de 54 cm.

Las válvulas de escuadra en tazas de lavabo empotradas o colgadas se sitúan a la misma altura y, en el mejor de los casos, a 15 cm una de otra por motivos estéticos.

Si quiere disponer un lavabo en una esquina, el tubo se debe montar convenientemente alejado del ángulo **(Fig. 1)**. Si el lavabo tiene que aguantarse sobre una media columna o una columna de soporte, se debe reducir la distancia dependiendo del modelo y el fabricante (hasta unos 8 cm) para que las caperuzas o las columnas abiertas hacia atrás también se puedan encajar por encima de las válvulas.

En caso de que no se deba montar una toma de agua en el borde del lavabo (grifería fija, batería mezcladora) sino que la llegada de agua proceda de la pared, hay que tener en cuenta que el borde superior de una taza de lavabo se sitúa a 85-90 cm por encima del suelo acabado, y la distancia adicional a la salida del tubo es de 15-30 cm. En la grifería de dos mandos la distancia entre agua caliente y agua fría es de nuevo de 15,4 cm.

Unión de tuberías nuevas y viejas

Al montar o cambiar instalaciones sanitarias de agua potable antiguas no siempre se pueden evitar las conexiones a tubos de acero. En este caso hay que tener en cuenta que una tubería de cobre en la dirección de flujo del agua no se puede alargar como tubería de acero. Por lo tanto, cuando una parte del tubo de acero se debe sustituir por cobre, también hay que instalar todas las piezas de tubo siguientes en cobre. Si no se sigue esta norma se pueden producir daños por corrosión en los tubos de acero. Lo mismo es válido en antiguos calentadores de agua instalados con acero. Estos calentadores no deben conectarse con una entrada de cobre sino con tubo de acero. Los depósitos de agua caliente que se encuentran hoy en día están completamente esmaltados y dotados de un ánodo de sacrificio, de modo que también pueden conectarse con tubo de cobre. Los depósitos de acero inoxidable están igualmente bien protegidos contra la corrosión.

> **INFORMACIÓN COMPLEMENTARIA**
> En principio se debe respetar la siguiente regla del flujo: el montaje conjunto de tubos de cobre y de acero se efectúa, en la dirección de flujo del agua, con acero primero y luego cobre.

De todos modos, como en cualquier regla, en ésta también existen excepciones: en instalaciones de calefacción no es necesario observar esta norma de flujo, porque el agua, debido al largo recorrido de circulación en la instalación, puede considerarse químicamente muerta y, por consiguiente, no ocasiona daño alguno.

Herramientas y material:
- Lima de media caña
- Tenazas para tubo
- Llave fija
- Cáñamo
- Masilla o cinta selladora
- Calibrador regulable
- En su caso, terraja para tallar roscas

Operaciones:
- Raspar la rosca
- Colocar el cáñamo en la rosca
- Aplicar la masilla o enrollar la cinta selladora
- Roscar las piezas

Los tubos de acero galvanizado se colocan principalmente en puntos donde se requiere una protección especial contra la corrosión, como por ejemplo, en las tuberías de agua potable.

El diámetro se indica en pulgadas (véase la tabla). Con un calibrador regulable se puede determinar el diámetro del tubo para calcular la rosca adecuada. La medida correcta de la rosca exterior y la rosca interior es importante ya que sólo con la adaptación exacta de las dos roscas, es decir, la del tubo y la del accesorio (**Fig. 1**) se obtiene una buena estanqueidad de la unión.

Con la tabla siguiente se puede fijar el tamaño de rosca de los empalmes de tubo.

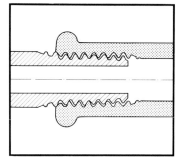

Figura 1

Figura 2

Figura 3

Si, efectivamente, debe instalar tubo de acero, necesitará una terraja para tallar roscas. Con ella se pueden hacer roscas de diferentes diámetros. Posee cabezas de corte recambiables o bien mordazas de corte ajustables. De todos modos, una terraja con los correspondientes accesorios resulta algo cara y tal vez pueda conseguir que un instalador haga las roscas necesarias. El corte de las roscas, sobre todo en tubos gruesos, es un trabajo duro.

La rosca cortada sobre el tubo es cónica; así, se produce junto con la rosca del accesorio y con un poco de cáñamo o cinta selladora una unión perfectamente estanca. El método tradicional de estanqueización se efectuaba con cáñamo. Una pequeña cinta trenzada de cáñamo se coloca con amplitud y de forma regular empezando por el extremo del tubo y girando hacia la derecha en los pasos de rosca (**Fig. 2**). Por encima se extiende un poco de masilla de rosca con el dedo (**Fig. 3**). Luego el tubo y el accesorio se roscan, con lo cual el cáñamo no puede salirse. Si se desliza y se amontona en el principio de la rosca, hay que desenroscar y envolver de nuevo. Los últimos tres pasos de rosca se aprietan con los ali-

Diámetro interior (calibre nominal) y diámetro exterior de tubos de acero		
Pulgadas	Calibre nominal en milímetros	Diámetro exterior en milímetros
3/8	10	17,2
1/2	15	21,3
3/4	20	26,9
1	25	33,7
1 1/4	32	42,4
1 1/2	40	48,3

Figura 4

Figura 5

cates para tubo y en el último paso hay que prestar especial atención a la terminación correcta del tubo.

La masilla impermeabilizadora debe estar autorizada para empleo en tuberías de agua. En el tubo de masilla se encontrará la correspondiente indicación. Si se utiliza masilla de gas u otro material inapropiado, se pueden disolver sustancias tóxicas en el agua para consumo.

Para los no experimentados resulta más sencillo el empleo de cinta de teflón. Se trata de una cinta de plástico delgada y elástica que se enrolla en la rosca exterior como si fuera cáñamo. Con este método no se necesita masilla.

Durante el arrollado se tira con cuidado de la cinta para que se adapte bien a los contornos de la rosca. La rosca se aprieta igualmente primero a mano y luego con los alicates para tubo (**Fig. 4**).

Al contrario que en la estanqueización con cáñamo, la unión ya no se puede volver a aflojar. Esto significa que con este método hay que trabajar de forma más precisa, sobre todo hacia el final.

La cinta de teflón hace años que ha demostrado su eficacia y proporciona un sellado tan bueno como el cáñamo. Los métodos de estanqueización descritos son tan adecuados para la instalación de tubos de acero y cobre como para la impermeabilización de conexiones de grifería, empalmes y similares.

Con frecuencia las roscas en piezas de cobre y latón rojo son lisas. En estos casos, los operarios rascan con una hoja vieja de sierra para metal o con una lima varias veces de través en distintas direcciones sobre la rosca (**Fig. 5**). Así, ésta queda algo mellada y el cáñamo se engancha mejor al roscar.

Tuberías de agua potable de plástico

En las tuberías de cobre puede existir un especial peligro de corrosión en determinadas zonas de suministro debido a las características del agua. Una posible solución en estos casos es el empleo de tubos de plástico.

Las compañías locales de suministro de agua proporcionan información sobre la adecuación de la instalación de tubo de cobre o acero.

El tubo de plástico, que se caracteriza por una mayor flexibilidad (**Fig. 1**) y que tiene también otras ventajas que se describirán a continuación, se denomina tubo PE. Los técnicos también se refieren a estos tubos de polietileno como tubo de «cuarta generación» en la instalación de sanitarios, después de los tubos de plomo, acero y cobre. Además se hacen tuberías para agua potable de PVC.

La característica especial que distingue a los tubos PE es la técnica de tubo dentro de tubo (**Fig. 2**). De forma semejante a la instalación eléctrica, el tubo que conduce el agua se instala dentro de un tubo de protección. Así, los tubos se pueden cambiar en caso de daños mecánicos posteriores al montaje, como los que, por ejemplo, pueden producirse al taladrar inadvertidamente una tubería de agua. De la técnica de tubo dentro de tubo se deriva otra ventaja: el buen aislamiento de los tubos hace que se reduzcan considerablemente los típicos ruidos que se producen al circular el agua en una tubería metálica.

Existen aún otras ventajas de los tubos PE: el material, por ejemplo, no puede ser atacado por muy agresiva que sea la calidad del agua; la corrosión, el principal enemigo de la instalación de la vivienda, queda por lo tanto descartada.

Por otra parte, el tubo de plástico PE, de paredes lisas, no ofrece una superficie en la que puedan fijarse los depósitos de cal.

Figura 1

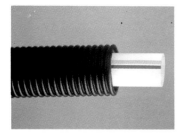

Figura 2

Figura 3

La sección del tubo permanece constante a lo largo de décadas y el flujo de agua habitual no varía. Igualmente duradera es la técnica de unión del sistema de instalación PE. Aleaciones metálicas de gran calidad aseguran que en las piezas de conexión del tubo a los elementos sanitarios no llegue a producirse corrosión alguna.

Los tubos flexibles PE se utilizan principalmente en las tuberías de distribución de los pisos **(Fig. 3)** (para las tuberías ascendentes existe material PE de caña). El aficionado al bricolaje sólo necesita, para la instalación de las tuberías, llave fija y tenazas pico de loro para la fijación de los accesorios así como unas tenazas especiales (véase pág. 11) para el corte de los tubos de plástico, que se debe efectuar limpiamente en un ángulo recto perfecto. Tanto si se elige una instalación en doble pared como empotrada **(Fig. 4)**, es posible instalar tubos sin fin desde el distribuidor de la casa hasta el punto de consumo (las longitudes de tubo son, como máximo, de 25 m, pero difícilmente se utilizarán piezas más largas): al contrario que los tubos de metal **(Fig. 5)**, los tubos de plástico necesitan muy pocos empalmes **(Fig. 6)**. Esto, en primer lugar, ahorra tiempo; en segundo lugar, los puntos de unión son siempre puntos neurálgicos y, en tercer lugar, no se necesitan accesorios caros.

Las uniones que quedan, por ejemplo, entre las tuberías de agua caliente y fría y las cajas de conexión de los sanitarios se montan con ayuda de accesorios de latón con unión de encaje **(Fig. 7)**.

Las tuberías de tubo dentro de tubo, que ya de por sí son poco ruidosas y están protegidas contra el agua de condensación, se fijan con bridas de tubo insonorizantes. Los tubos se curvan con facilidad pero se deben instalar como mínimo con un radio de curvatura de cinco veces el diámetro del tubo. Para la instalación de codos existen

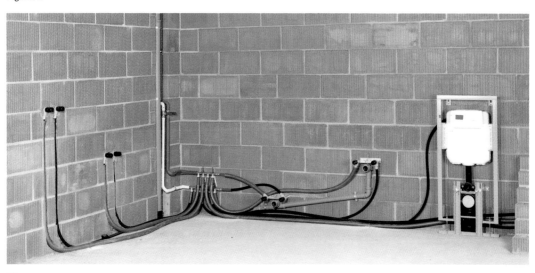

Figura 4

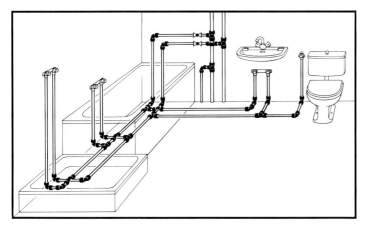

Figura 5

Figura 7

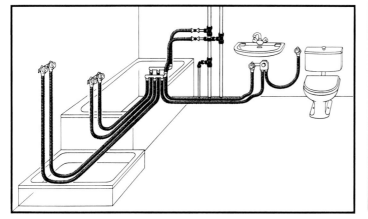

Figura 6

Figura 8

arcos de guía para tubos especiales **(Fig. 8)**.

Para que el aficionado pueda llevarse el material completo del comercio es necesaria una planificación previa precisa. Hay que prever los equipos sanitarios y la grifería que se va a instalar y calcular la cantidad de tubo y el diámetro, así como el número de cajas, empalmes y sujeciones. La precisión también es importante porque los adaptadores y otros componentes especiales varían según el fabricante y, por lo tanto, no son intercambiables **(Fig. 9)**. Es importante que tenga en cuenta este factor en la planificación.

Figura 9

Instalaciones sin empotrar

Figura 1

Siempre que sea posible, los tubos instalados en el interior de la vivienda deben quedar ocultos.

Por este motivo, en las nuevas construcciones se instalan empotrados en la pared. Para la instalación posterior de tuberías de suministro de agua o de desagüe para la instalación de sanitarios, en paredes tanto antiguas como nuevas, es frecuente hacer rozas para la instalación de las tuberías.

Pero en muchas paredes las rozas no son posibles por motivos estéticos. Por eso, la única solución practicable es la instalación sin empotrar. En estos casos las tuberías se instalan por delante de la pared antigua pero ocultas, por así decirlo, por una pared situada ante ellas. La forma de ejecución puede adoptar diferentes formas.

Doble pared

Las tuberías se instalan por delante de la pared antigua, y las conexiones de la grifería se preparan con placas murales. Después de haber aislado las tuberías contra las pérdidas de calor o el agua de condensación, se construye una pared por delante de ellas **(Fig. 1)**. Para esto son especialmente apropiados los bloques de hormigón gaseado. Las modificaciones posteriores en la instalación son muy complicadas, pero frente a la instalación en rozas tiene las ventajas de una mayor protección insonorizante y mejoras estéticas (la norma DIN 1053 prohíbe en muchos casos las reservas para tuberías). La instalación y el trabajo de albañilería pueden ser realizados por el mismo propietario.

Revestimiento

La instalación no empotrada con revestimiento seco proporciona muchas posibilidades al aficionado.

Las tuberías necesarias se instalan delante de la pared sin contacto directo con la estructura de la obra (bridas para tubos con insonorización).

A continuación se construye una estructura situada por delante de la pared con perfiles de madera, acero o aluminio, que se rellena con material aislante y se cubre con placas de cartón-yeso.

Los orificios para las conexiones se sierran con ayuda de plantillas hechas a medida y una sierra para perforar en las placas de cartón-yeso **(Fig. 2)**.

Las posibles modificaciones

Figura 2

Figura 5

Figura 7

Figura 3

Figura 4

Figura 6

posteriores en la instalación sanitaria son más sencillas de hacer con esta instalación entre paredes.

Si fuera preciso fijar lavabos, o bien bidés o inodoros para colgar, la pared se debe reforzar para que pueda soportar la carga.

Elementos prefabricados

En este tipo de instalación entre paredes se utilizan módulos sanitarios prefabricados. Estos módulos son elementos prefabricados para un sistema determinado. Los soportes **(Fig. 3)** se enganchan simplemente en los carriles previamente atornillados en la pared o el suelo **(Fig. 4)**. Del mismo modo se cuelga el elemento para el inodoro colgante **(Fig. 5)**, que luego se une con el carril del suelo **(Fig. 6)**.

Figura 9

Figura 8

Figura 10

Con este sistema es posible fijar a la pared de la habitación los más diversos elementos, como conexión de inodoro con cisterna, conexión de bidé y conexiones de bañera o de lavabo (diferentes según el fabricante), que se unen con tuberías de entrada y salida adaptadas al sistema. Si utiliza tubos de plástico flexibles para las tuberías de agua caliente y fría, en general no deberá montar accesorios entre el distribuidor del piso y el módulo prefabricado. Estos componentes de instalación y también los módulos semiabiertos se instalan de la forma antes mencionada en una pared delantera.

• La obra es especialmente apropiada cuando se instalan componentes sanitarios delante de una pared de construcción ligera.
• Las placas son recomendables cuando los elementos de la pared delantera están colgados en una estructura de perfiles colocada delante de la pared o cuelgan en un bastidor autoportante.

Dependiendo del producto, las placas de cartón-yeso se deben preparar primero (serrar los agujeros para las conexiones) o simplemente pueden atornillarse **(Fig. 7)** (placas que ya tienen reservas).
En general, esta forma profesional de instalación de pared delantera es realizada por un instalador de sanitarios, pero existe una serie de trabajos de bricolaje que se pueden hacer personalmente después de consultar a un técnico. Forman parte de este grupo, por ejemplo, el enmasillado de las juntas y los agujeros de los tornillos después del montaje **(Fig. 8)** o el sellado de los orificios de conexión con juntas especiales **(Fig. 9)**. Igualmente se puede realizar por cuenta propia el alicatado de la pared **(Fig. 10)**.
La figura de la página 26 muestra el resultado de una modernización con instalación no empotrada.
Los componentes prefabricados se pueden encontrar en el mayorista de instalaciones sanitarias o en el mismo instalador de sanitarios.

Tuberías de desagüe

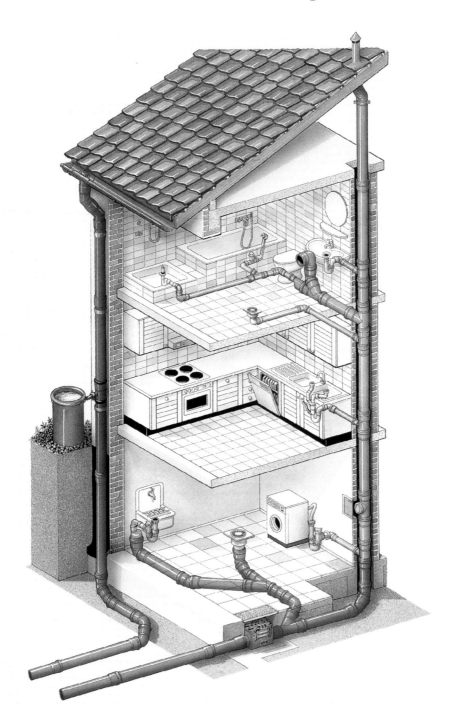

Materiales para tubos

Para las tuberías de desagüe se utilizan igualmente diferentes materiales (véase esquema de la pág. 30). Aunque existen tubos de fundición de hierro, acero y cerámica, el plástico es también aquí un material de primera elección porque tiene muchas ventajas. Como tubos de desagüe se emplean diferentes plásticos con diversos niveles de calidad y colores y con distinta identificación.

Figura 1

Instalación de tubos de desagüe de plástico

La facilidad con que puede trabajarse convierte al plástico en un material de elección preferente para el aficionado, aunque hoy en día también los instaladores utilizan normalmente tubo de plástico. En edificios antiguos en los que se instalaron tubos de otros materiales se puede emplear para la renovación y para hacer nuevas conexiones de piezas de transición de plástico que se adaptan a cualquier tipo de material.

Dado que la calidad de estos tubos de desagüe de plástico es muy variada, sigue a continuación una pequeña revisión de materiales que puede ayudar al aficionado a encontrar el tubo de plástico más adecuado para sus objetivos.

Material

- Tubo KA (tubo de plástico para desagüe): para tuberías de

Figura 2

unión y de conexión con bajas temperaturas de desagüe (inodoro, lavabos) y también para tuberías de ventilación.
Color: gris claro.

- Tubo HT (resistente a las altas temperaturas): para todas las tuberías (exceptuando las tuberías enterradas); también para altas temperaturas de desagüe.
Color: gris oscuro.
- Tubo KG (tubo de plástico para instalación enterrada): para tuberías enterradas.
Color: marrón rojizo.

Herramientas y material:
- Sierra para metales o plástico
- Caja de ingletes
- Lima de media caña
- Taladradora
- Nivel de burbuja

Figura 3

- Lubricante
- Rotulador de fibra

Operaciones:
- Cortar el tubo
- Desbarbar el tubo
- Aplicar el lubricante
- Encajar y colocar las bridas
- Instalar el tubo

Elementos básicos para el montaje

Generalmente, para la sección de desagüe de la casa se utiliza el tubo HT (resistente a altas temperaturas) gris con marca roja distintiva, que resiste el paso de agua hirviendo por la tubería.

El sencillo sistema de encaje con juntas de goma hace que el trabajo con estos tubos resulte muy cómodo. Basta cortarlos a medida con la longitud conveniente en el lugar de instalación; existen piezas de formas especiales muy variadas para los cambios de dirección, conexiones, transiciones y también para los puntos de revisión (**Fig. 1**) que se adaptan a todas las posibilidades de montaje. Los tubos HT son resistentes al agua caliente pero necesitan cierto margen de dilatación (**Fig. 2**) para

Figura 4

Figura 6

Figura 8

Figura 5

Figura 7

Figura 9

reaccionar ante la influencia de la temperatura. Por este motivo no se deben encajar hasta el tope. En cada punto de unión, después de introducir el tubo hasta el tope, hay que tirar de nuevo del tubo hacia fuera unos 10 mm.

Corte
El corte debe ser lo más liso posible y en ángulo recto; en tubos de diámetro pequeño esto puede hacerse limpiamente en una caja de ingletes **(Fig. 3)**. Se utiliza una sierra para hierro de dentado fino o con una hoja de sierra especial para plástico, pero de todos modos el corte resulta algo granuloso y áspero. Esta rebaba se elimina con la lima de media caña (corte fino) **(Fig. 4)** y también se lima

ligeramente el borde exterior para que el tubo se introduzca luego con facilidad. El grado de inclinación del biselado se deduce observando el de los tubos acabados que ya vienen de fábrica con el corte adecuado.

Encaje
Para que los extremos del tubo se deslicen bien a través de la junta de goma, hay que aplicar un material lubricante sobre el anillo de junta **(Fig. 5)**. El lubricante permite, además, que el tubo pueda moverse ligeramente cuando se dilata. Para el montaje bastaría emplear un detergente, pero no debe aplicarse porque no facilitaría el movimiento en la dilatación.

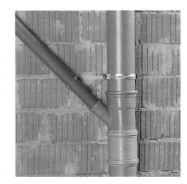

Figura 10

Montaje mural y derivación posterior
Los tubos de desagüe se deben instalar con una caída de, al menos, 1 o 2 cm por metro de tubería. Esta pendiente se controla con un nivel de burbuja **(Fig. 6)** bajo uno de cuyos extremos se coloca una pieza separadora

para que marque la inclinación correcta.

Los tubos se fijan con bridas para tubo. La distancia entre bridas depende del diámetro del tubo: en tubos de instalación vertical es de 15 veces el diámetro del tubo, y en instalación horizontal, de 10 veces el diámetro.

Operaciones:
- Hacer el corte para la derivación y encajar la derivación
- Encajar la pieza de unión solapada
- Alargar la derivación
- Fijar la caída

Para montar una derivación posterior, marque con un rotulador de fibra **(Fig. 7)** la longitud del manguito y, a continuación, sierre el tubo **(Fig. 8)**. Para eliminar la rebaba y cortar en bisel se sueltan las bridas. Coloque la derivación por debajo y deslícela hasta encajarla hacia arriba. La auténtica unión de paso la forma el manguito acoplable en los dos lados que se coloca en el extremo inferior **(Fig. 9)**. Desplace la derivación desde arriba hasta hacerla entrar en el manguito de unión; así, queda completada la conexión **(Fig. 10)**.

Conexión de elementos sanitarios

El sistema de tuberías de desagüe se representa en la página 30. A través de esta red de tuberías se evacuan las aguas residuales. Para que el desagüe sea correcto, el tendido de los tubos debe realizarse con las piezas de conexión adecuadas. Las ilustraciones **(Fig. 1)** a **(Fig. 4)** muestran en detalle con qué tubos, piezas de formas especiales y accesorios se debe montar la conexión correspondiente.

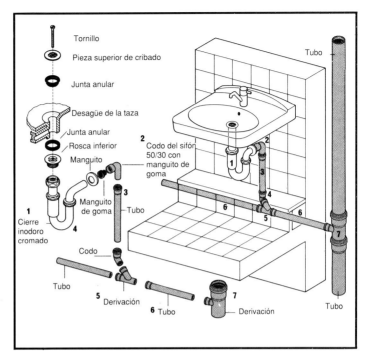

Figura 1

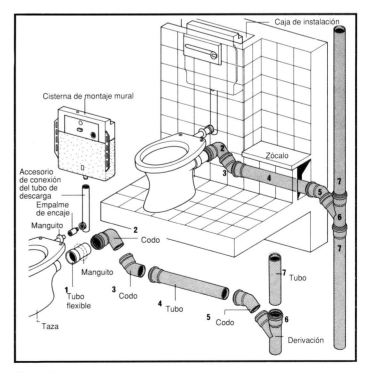

Figura 2

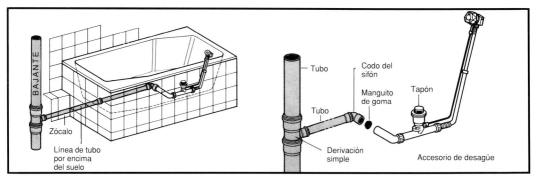

Figura 3

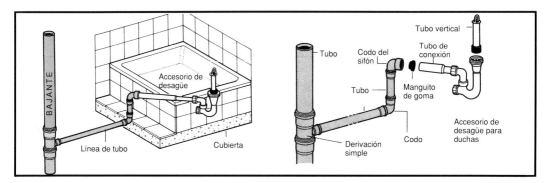

Figura 4

Tubos de desagüe de plástico pegados

Los tubos de desagüe de plástico de PVC se pueden pegar. Los tubos se pegan sobre todo cuando están bajo presión, por ejemplo, en la conexión de bombas de presión. También es frecuente la realización de uniones pegadas en trabajos de reparación y derivación o en remiendos.

Herramientas y material:
• Aparato calefactor de aire caliente
• Sierra para plástico
• Pegamento especial
• Limpiador, pincel

Operaciones:
• Limpiar las superficies
• Aplicar el pegamento
• Juntar las piezas de tubo
• Dejar secar la unión

Procedimiento

Para unir tubos de PVC se utilizan un pegamento especial y un limpiador. Primero se limpian cuidadosamente las superficies de los dos tubos con el limpiador en la zona de unión. Al hacerlo la superficie se levanta, se hincha. A continuación se aplica el pegamento en las superficies de unión y se ponen en contacto las dos piezas. Cuando el tiempo es cálido el pegamento seca en una hora, pero no puede aplicarse carga a la unión hasta el día siguiente.

Las uniones pegadas son especialmente duraderas ya que las dos piezas de tubo de plástico quedan unidas mediante el pegamento en una unión molecular; en cierto modo, las dos partes se sueldan formando una pieza única.

Reparación de una tubería dañada

Si usted, por ejemplo, ha taladrado por descuido un agujero en un tubo de plástico, puede repararlo con el método del pegamento. La forma de actuar es la siguiente: debe cortar una pieza de reparación (**Fig. 1**) de un trozo de tubo con el mismo diámetro que el tubo dañado y a continuación pegarla sobre el agujero. La pieza de tubo se calienta interiormente con un apa-

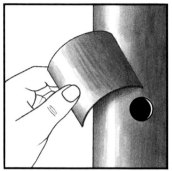

Figura 1

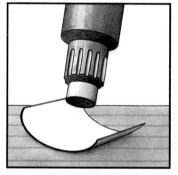

Figura 2

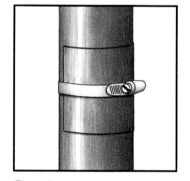

Figura 3

Figura 4

Figura 5

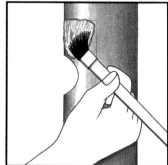

Figura 6

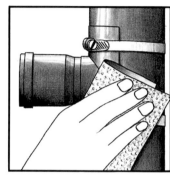

Figura 7

rato de aire caliente para que se ablande y pueda doblarse **(Fig. 2)**. En torno al punto defectuoso debe quedar una orla de más de 5 cm, y la pieza de reparación se ha de fijar adicionalmente con una abrazadera **(Fig. 3)**.

En ocasiones este tipo de reparaciones ahorran mucho trabajo y dinero y son además muy resistentes.

Montaje de piezas de estribo para una derivación posterior

Para el montaje de piezas de estribo se marca primero la posición con el tubo e igualmente el asiento para la abertura de la derivación **(Fig. 4)**. A continuación se corta el correspondiente agujero en el tubo (p. ej., de 40, 50 o 70 mm) **(Fig. 5)** y luego se limpia esta zona y se aplica el pegamento con un pincel **(Fig. 6)**. La pieza de estribo para la derivación se pega y se fija adicionalmente por encima y por debajo con abrazaderas. El pegamento sobrante se elimina con la esponjilla **(Fig. 7)**. Antes de pegar hay que leer con atención las instrucciones de empleo de la caja del pegamento y del limpiador, ya que durante el trabajo los dos productos liberan vapores que pueden ser perjudiciales para la salud.

El pegamento y el limpiador son además muy inflamables por lo que al trabajar hay que evitar la presencia de llama y no se debe fumar. El pegamento y el limpiador no han de eliminarse con la basura doméstica sino en contenedores especiales.

Trabajos de alicatado y albañilería

Paredes de hormigón gaseado

Material

Los bloques de hormigón gaseado han desplazado en muchas obras a los ladrillos clásicos de arcilla o silicocalcáreos. Presentan algunas ventajas en cuanto a sus características como material de construcción y a la forma de trabajo.

Los bloques de hormigón gaseado son muy ligeros, en comparación con otros materiales, y además son fáciles de trabajar. Se pueden cortar con mucha precisión, y sobre todo con el tamaño más conveniente, con una sencilla sierra portátil. Con la misma facilidad se fresan rozas en los bloques o taladran agujeros.

Sin embargo, esta facilidad entraña también pequeños inconvenientes: un inodoro colgante u otros componentes pesados no se pueden fijar con tanta sencillez en la pared acabada como en una pared de ladrillo. En el hormigón gaseado la fijación de elementos pesados con tacos se debe planificar con cuidado y, además, se requieren tacos especiales para hormigón gaseado con una superficie mayor que los tacos convencionales.

Construcción con hormigón gaseado

Las piezas planas o bloques planos de hormigón gaseado, como denominan a sus productos los diferentes fabricantes,

Figura 1

se fabrican siempre con dimensiones exactas, caras lisas y forma rectangular. De ahí resulta la posibilidad de pegarlos o colocarlos con mortero de capa delgada. Como es natural, también se puede utilizar mortero convencional de albañilería. La obra para las duchas o las bañeras se efectúa con bloques de hormigón gaseado o placas planas de hormigón gaseado, que se pueden colocar directamente sobre el pavimento o la cubierta que exista en el suelo sobre una cama de mortero. Debido a la transmisión del ruido, el material no debe unirse rígidamente a los bordes de la pila. En la figura **(Fig. 1)** se muestra cómo se construye un peto para una bañera con placas planas de hormigón gaseado de 7,5 cm de grosor.

La construcción de podios o tabiques, a causa de su mayor peso, no debería realizarse sobre el pavimento sino sobre el suelo en bruto.

Herramientas y material:
- Cepillo para bloques de hormigón gaseado
- Papel de lija
- Paleta dentada
- Taladradora

- Sierra portátil
- Tabla de fijar
- Fresadora portátil

Operaciones:
- Preparar el mortero de capa delgada
- Colocar la capa de mortero
- Igualar la base
- Colocar los bloques de hormigón gaseado

Trabajo con mortero de capa delgada

El mortero de capa delgada es un mortero especial prefabricado que se amasa con agua. Para hacer la mezcla, lo más apropiado es utilizar un brazo agitador en una taladradora con marcha lenta. El mortero debe ser tan fluido que al aplicarlo salga con facilidad y ocupe toda la superficie del dentado de la paleta. Después de mezclarlo suficientemente, el mortero estará preparado para su empleo. La primera hilada se coloca sobre un lecho de mortero de albañilería. De esta forma se corrigen las irregularidades de la base.

Las llagas (juntas verticales) se hacen ya en la primera hilada con mortero de capa delgada.

El mortero se aplica a las llagas y los tendeles (juntas horizontales) de los bloques de hormigón gaseado con una paleta dentada, y antes hay que eliminar el polvo y las partículas sueltas.

La paleta ha de tener la misma anchura que el bloque para que se pueda dar una capa en toda la superficie con un solo movimiento. El dentado de la paleta asegura que el mortero de capa delgada se aplique con un grosor uniforme y así las juntas ten-

Figura 2

Figura 3

Figura 4

gan siempre un mismo grosor de 1-3 mm. En los bloques de hormigón gaseado machihembrados no se coloca mortero en las llagas sino que los bloques se encajan simplemente a tope en seco.

Los bloques planos se colocan sucesivamente uno tras otro procurando que la pared quede lisa y sin juntas.

Si en una hilada se producen pequeños desniveles de un bloque a otro, se pueden rebajar con un cepillo para bloques de hormigón gaseado o con papel de lija grueso. Así se consigue una base de apoyo perfecta para la siguiente hilada. Como en la obra convencional, los bloques se tienen que colocar con una superficie de solape suficiente. Se requiere una longitud mínima de 110 cm para que la pared adquiera una resistencia correcta.

En nuestro ejemplo se ha construido una estructura por debajo de una taza de lavabo. Para ello se levantan en primer lugar las paredes laterales con bloques de hormigón gaseado **(Fig. 2)**. Luego se fija con tacos en la pared trasera un listón de soporte de madera **(Fig. 3)**. Se procede del mismo modo en la parte de-

lantera. También aquí se ajusta una madera de soporte entre las paredes laterales **(Fig. 4)**. A continuación se sierra la abertura para la taza **(Fig. 5)**. Sólo una vez terminado el trabajo de alicatado se puede montar la taza de lavabo en la estructura **(Fig. 6)**.

Acabado de las paredes de hormigón gaseado

Fijaciones

Dado que los bloques de hormigón gaseado son bastante blandos, se pueden fijar en este material elementos poco cargados, por ejemplo, rastreles para un revestimiento de madera, simplemente con clavos. Pero se deben utilizar exclusivamente clavos galvanizados. En el comercio se encuentran clavos cuadrangulares cónicos galvanizados de 6 a 18 cm de longitud.

También se pueden utilizar tacos, pero para cargas mayores hay que emplear tacos especiales para hormigón gaseado. Los agujeros para los tacos se ha-

Figura 5

Figura 6

cen fácilmente con un punzón que se corresponda con el diámetro del taco.

Si no se dispone de un punzón semejante, se puede utilizar un tornillo para maquinaria. Si se hace el agujero con taladradora y broca, hay que trabajar con cuidado sin percutor para que el orificio no resulte demasiado grande.

Rozas para cables
Las rozas para cables se fresan en las paredes de hormigón gaseado según las necesidades. Cuando las rozas son pequeñas se pueden hacer incluso rascando con un destornillador.

Para hacer los orificios de fijación de interruptores y enchufes es preferible siempre utilizar una taladradora especial para enchufes.

Alicatado
El alicatado se puede realizar con el procedimiento de capa delgada directamente sobre la pared de bloques de hormigón gaseado suponiendo que la pared se haya hecho lo bastante plana. De todos modos, las eventuales irregularidades se pueden corregir con una tabla de lijar.

Revocado
Las paredes se revocan con revoque fino especial para hormigón gaseado y sin necesidad de preparación. El grosor de la capa es de 3 a 5 mm y la pared se debe humedecer antes de la aplicación.

Revestimiento de tuberías

Los tubos para agua potable, desagüe o calefacción se instalan a menudo en los ángulos de las habitaciones cuando no hay espacio para otras soluciones menos visibles. A fin de que no resulten demasiado llamativos se tabican **(Fig. 1)** y se revocan.

Todos los trabajos de albañilería como estos revestimientos o también la construcción de un tabique en una habitación se deben realizar sobre el suelo en bruto. Nunca se debe construir sobre un pavimento flotante, ya que este tipo de base tiene movimiento y puede provocar la aparición de fisuras en la obra y hacer que caiga. En caso de que exista pavimento, hay que eliminarlo picando en el lugar donde se va a construir la pared.

Antes de empezar los trabajos de albañilería es imprescindible que un técnico especialista en estática compruebe que el forjado puede soportar la carga.

Herramientas y material:
· Metro de carpintero
· Nivel de burbuja
· Paleta
· Anclaje metálico
· Tacos
· Llana de alisado

Operaciones:
· Colocar la cama de mortero
· Colocar la primera hilada
· Comprobar la horizontalidad con el nivel
· Levantar la pared
· Colocar el anclaje insertado en la obra
· Revocar

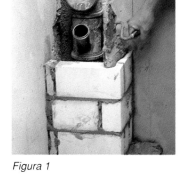
Figura 1

Figura 2

Figura 3

El revestimiento de tubo de este ejemplo se puede construir con ladrillos silicocalcáreos puestos de canto o bien con placas delgadas de hormigón gaseado de 5 cm puesto que no tiene que soportar cargas importantes. La base está formada por una cama de mortero, sobre la que se coloca la primera hilada y se comprueba luego con el metro y el nivel.

La segunda hilada y las siguientes se levantan de modo que no se superpongan las juntas en dos hiladas sucesivas. Especialmente en el ángulo exterior los bloques se tienen que super-

Figura 4

poner alternando sus posiciones **(Fig. 2)**.

Si hay que compensar las longitudes de los bloques en su unión con la pared, se rellenan los huecos con mortero hasta unos 4 cm y las distancias superiores se compensan con un bloque partido.

Para conseguir una unión mejor del revestimiento con la pared, en cada segunda o tercera hilada de bloques sería conveniente colocar en la pared con tacos de anclaje metálico para capa de aire.

El anclaje se coloca en la obra en el tendel y proporciona una sujeción mejor al revestimiento. En lugar del anclaje se pueden fijar con tacos tornillos de 4 a 5 cm.

Para asegurarse de que la pared queda perfectamente vertical hay que ir comprobando el trabajo con el nivel. Resulta muy útil hacer un trazo de lápiz vertical sobre la pared a lo largo del cual se va levantando el tabique.

Cuando el cemento ha fraguado se revoca el revestimiento, utilizando una llana para alisar el revoque **(Fig. 3)** y un listón que sirve de guía para conseguir un aporte de revoque uniforme **(Fig. 4)**.

Revestimiento de una ducha con placas de yeso

En el equipo de la ducha y de su entorno debería encontrarse una solución armónica que, además, fuera funcional. Aquí funcional significa, sobre todo, una construcción del suelo y las paredes resistente a la humedad, una colocación de las baldosas impermeable y una separación de la ducha fácil de montar y de mantener **(Fig. 1)**.

Figura 1

Capa de guarda

En paredes de viejas edificaciones muy irregulares existe la posibilidad de revestir las paredes con una capa de guarda de placas de yeso **(Fig. 2)**. Las juntas laterales y las cabezas hundidas de los tornillos se pueden tapar con masilla de juntas **(Fig. 3)**. Así se obtienen paredes rectas y lisas que se pueden alicatar sin necesidad de preparación.

Especialmente en la zona moja-

Figura 2

Figura 3

da de un cuarto de baño, al mismo tiempo se consigue un buen control del cambio mojado-seco. El material respira bien, mantiene la forma y es estable y, si se aplican los pegamentos para el alicatado recomendados por el fabricante, no es necesario dar una preparación de base.

Suelos

Como suelos nuevos para el baño son apropiados los elementos de colocación en seco **(Fig. 4)** con una base de apoyo de lana mineral que absorbe las irregularidades del suelo y mejora la insonorización. También están fabricados con material de fibra de yeso y, por lo tanto, son apropiados para locales hú-

Figura 4

Figura 5

una capa y no se debe alisar con fieltro o con llana.

Las bases muy absorbentes se han de tratar antes con una imprimación en profundidad, para que al colocar los azulejos el adhesivo no pierda humedad con demasiada rapidez; la base debe estar bien seca antes de la colocación del alicatado.

medos. Se colocan en formación irregular con encajes pegados. Para conseguir la presión necesaria se colocan tornillos de montaje rápido junto a las ranuras **(Fig. 5)**. El suelo preparado de este modo se alicata a continuación, como las paredes, con un adhesivo elástico impermeable.

Alicatado

Colocación de los azulejos

La colocación de los azulejos con el procedimiento de capa delgada se ha impuesto ampliamente y ha demostrado su eficacia sobre todo en el alicatado de paredes rectas y lisas. En cuanto a calidad y resistencia, el procedimiento de capa delgada se puede equiparar al de capa gruesa, en el que las baldosas se colocan sobre un lecho de mortero.

Preparación de la base de aplicación
La base para la aplicación del adhesivo debe ser limpia, plana y resistente. Esto significa que la base debe ser suficientemen-

te compacta para que, con solicitaciones normales, el azulejo no se desprenda. Las superficies enfoscadas desprenden con frecuencia arenilla en la superficie; por esta razón, antes del alicatado se deberán limpiar con una escoba. De este modo mejora la resistencia del azulejo.

Las pinturas poco adherentes de cualquier tipo, las pinturas bituminosas, el revoque granuloso y el empapelado no son adecuados como base y se tienen que eliminar antes de alicatar.

Las pequeñas irregularidades se pueden emplastecer antes del alicatado con adhesivo de alicatar. Las irregularidades de varios milímetros de espesor se corrigen con mortero adhesivo; el grosor de capa permitido se describe en las informaciones técnicas del adhesivo. Las irregularidades mayores se igualan con mortero. Es apropiado el mortero de reparaciones preparado, ya que se adhiere muy bien a la base.

La base no debe emplastecerse con cal o yeso y, si se revoca con uno de estos materiales, el grosor del revoque debe ser de 10 mm, como mínimo, para que la consistencia sea suficiente. El revoque de yeso se aplica en

Adhesivos
La elección del adhesivo depende de las condiciones locales y de las condiciones que se exijan a la cubierta de azulejos. Los adhesivos que se pueden adquirir en el comercio se dividen en cuatro grupos según sus características:

1. Morteros de capa delgada de endurecimiento hidráulico
Endurecen hidráulicamente, es decir, que parte del agua de amasado se combina químicamente. Según el producto, tienen un porcentaje distinto de plástico, que facilita el trabajo y mejora la elasticidad. El adhesivo se puede aplicar con un grosor de capa de hasta 10 mm, y en algunos productos incluso hasta 15 mm. El mortero de capa delgada de endurecimiento hidráulico es apropiado para el alicatado sobre una base mineral absorbente. Para conseguir una resistencia suficiente los azulejos recién colocados no se deben rejuntar hasta pasados 2 o 3 días.

Si las superficies alicatadas se deben rejuntar o pisar enseguida, se utiliza un adhesivo rápido. Con la adición de plásticos especiales, al cabo de tres horas tienen una resistencia que permite la aplicación de carga sobre las losetas. El adhesivo rápido se utiliza especialmente para reparaciones, colocación de losetas en viviendas habitadas y trabajos con tiempo muy frío.

Si la base es menos absorbente o hay que contar con solicitaciones especialmente elevadas, por ejemplo, en una calefacción de suelo, se pueden mejorar las características del adhesivo bonificando el plástico o mediante una emulsión elástica.

Amasado del mortero adhesivo

Los morteros adhesivos se venden en bolsas de papel o en sacos y se amasan con agua al empezar el trabajo. Para ello, el mortero adhesivo se vierte en un cubo de agua dispersándolo de forma uniforme. A continuación se mezcla bien con la paleta o con el brazo agitador de la taladradora portátil hasta obtener una papilla homogénea y sin grumos. El adhesivo se deja madurar todavía durante media hora antes de empezar el trabajo, se remueve de nuevo enérgicamente y ya está listo para su empleo.

2. Adhesivos elásticos

Los adhesivos elásticos son adhesivos de endurecimiento hidráulico con una elevada adición de dispersión. En realidad, la combinación de mortero de capa delgada con mejora plástica pertenece ya a este grupo.

Estos adhesivos son muy elásticos e impermeables después del secado y con ellos es posible pegar e impermeabilizar en una sola operación. Se utilizan cuando la estructura de base puede estar sometida a ligeros movimientos, por ejemplo en el alicatado sobre tableros

de aglomerado o de ebanistería, placas de cartón-yeso, pavimento seco, revoque de yeso o una base de características similares.

3. Adhesivos de dispersión

Los adhesivos de dispersión son mezclas listas para el empleo de dispersiones de plásticos. Al contrario que los adhesivos hidráulicos, no retienen agua. Endurecen al perder agua de dispersión, es decir, mediante el secado. Por eso, la base o el alicatado que se quiera colocar debe ser absorbente y permitir la difusión del agua. Los adhesivos de dispersión son apropiados —como los morteros de capa delgada de endurecimiento hidráulico— para el alicatado de suelos y paredes sobre una base mineral absorbente. Además, se pueden pegar también a placas de aislamiento térmico y acústico, placas de corcho y otros materiales.

4. Pegamentos de resina epoxídica

Los pegamentos de resina epoxídica son adhesivos de dos componentes, un aglomerante y un endurecedor, que se mezclan poco antes del empleo. El endurecimiento se produce a partir de una reacción química. Los pegamentos de resina epoxídica se utilizan en casos especiales para pegar y rejuntar cuando sobre el revestimiento actúan materiales agresivos como ácidos o bases.

Colocación de alicatados en capa delgada

Herramientas y material:
• Paleta
• Espátula dentada

• Cortador de azulejos
• Tenazas de alicatador
• Martillo de alicatador
• Nivel de burbuja
• Cordón de goma
• Esponja
• Adhesivo para alicatado
• Mortero de reparaciones

Operaciones:
• Preparar el mortero adhesivo
• Cortar los azulejos
• Aplicar el adhesivo
• Colocar los azulejos
• Rejuntar

El adhesivo se aplica uniformemente sobre la pared (o el suelo) con una paleta o una llana de alisado. La superficie cubierta con el adhesivo debe ser suficientemente grande para que permita la colocación de 6 a 10 azulejos.

En la fotografía se está alicatando el ángulo de la ducha **(Fig. 1)**.

Con una espátula dentada se peina el adhesivo en forma de ondas para que se distribuya regularmente sobre toda la superficie. La profundidad del dentado de la espátula depende de la longitud del canto de los azulejos, de la rugosidad de la pared y de la cara posterior de los azulejos. En principio se debe aplicar la siguiente norma: cuanto mayor es el azulejo y más basto el perfil de la cara posterior, más grueso ha de ser el dentado de la espátula. Hay que elegir el dentado de modo que el adhesivo cubra al menos el 65 % de la superficie de azulejo. Esto se puede controlar enganchando la baldosa y sacándola de nuevo después de presionar.

Figura 1   Figura 2   Figura 3

Longitud de la arista del azulejo	Profundidad del dentado (dentado cuadrado)
Hasta 5 cm	3 mm
6-10 cm	4 mm
11-20 cm	6 mm
Más de 20 cm	8 mm

Al calcular el número de azulejos necesarios hay que contar con un 5 % de recortes. El consumo de mortero de rejuntado depende en gran parte de la anchura de juntas elegida y de la correspondiente densidad del alicatado.

Ha llegado el momento de colocar los azulejos. Se empieza por la hilada inferior (**Fig. 2**), controlando la orientación horizontal y vertical con el nivel. Después de colocar los primeros azulejos de la derecha y de la izquierda, se tensa el cordón de goma y, con su ayuda, se colocan en posición los azulejos de la primera hilada. En el ejemplo, los azulejos de colores diferentes proporcionan un carácter especial al alicatado (**Fig. 3**). La anchura de las juntas se puede mantener con una maderita cortada expresamente que se introduce entre los azulejos. Si el adhesivo no es muy delgado, los azulejos enseguida quedan adheridos en su posición en

la pared. Si se desplazan hacia abajo, coloque entremedio una maderita y manténgala un tiempo hasta que el adhesivo haya empezado a fraguar. Con dentados de más de 4 mm los azulejos no sólo se presionan sino que se golpean adicionalmente para que el adhesivo se introduzca en el perfil de la cara posterior del azulejo.

En el comercio de materiales de construcción se pueden adquirir cruces de plástico para alicatados de diferentes grosores que se colocan con los azulejos. Así, teóricamente es posible conseguir juntas de anchura regular. En la práctica, sin embargo, las cruces no son muy útiles porque las longitudes de los cantos de los azulejos no son exactamente iguales y la posición del azulejo

siempre se tiene que ir compensando «a ojo». De vez en cuando hay que dar un paso hacia atrás y repasar la posición exacta de los azulejos. Si alguno no está bien asentado, aún se puede corregir su posición durante los primeros 10 minutos.

Ejemplo: alicatado de una bañera

El adhesivo para alicatado se puede aplicar directamente sobre el revestimiento liso de la bañera (**Fig. 1**). El primer azulejo se coloca directamente en la esquina (**Fig. 2**); esto es importante. A partir de aquí se va alicatando generosamente el revestimiento (**Fig. 3**). Los azulejos de las esquinas siempre se deben colocar enrasados con el canto correspondiente.

Consumo de material en el alicatado (aproximado)			
	Azulejos (unidades)	Mortero adhesivo (gramos por m²)	Mortero para juntas (gramos por m²)
Azulejos 10,8 × 10,8	91	2.700	800
Azulejos 15 × 15	47	4.000	700
Azulejos 10 × 20	53	4.000	1.300
Mosaico		2.000	800

Figura 1

Figura 3

Figura 5

Figura 2

Figura 4

Figura 6

La medida correcta del azulejo se toma desde el nivel del pavimento (**Fig. 4**). Luego se marca el azulejo con el cortador (**Fig. 5**) y se quiebra con las tenazas del alicatador (**Fig. 6**).

Así se rejunta

Mortero para juntas
Como mortero de juntas es posible utilizar diferentes materiales. En el comercio se puede adquirir mortero para juntas con diferentes tamaños de empaquetado y, por lo general, en color blanco, gris o de colores. La base de este relleno de juntas es el cemento blanco. El relleno de juntas es apropiado para juntas de hasta 4 mm, y las juntas más anchas tienen

tendencia a agrietarse. En este caso hay que utilizar un mortero para juntas especial que, por ejemplo, se ofrece bajo la denominación de anchura de juntas, apropiado para juntas de 4 a 12 mm de anchura. Para los baldosines del suelo se puede preparar uno mismo un mortero de juntas muy bueno, y también económico, con arena cuarcífera y cemento en proporción 1:4. La arena cuarcífera es una arena seca de grano especialmente fino que también se puede adquirir ensacada en el comercio de materiales de construcción.
Los rellenos de juntas blanco y gris se utilizan en interiores y exteriores. El relleno de colores sólo debería aplicarse en interiores porque los colores se modifican con el tiempo por efecto de la exposición a la intemperie.

Rejuntado
Cuando los azulejos pegados están suficientemente fuertes, se puede empezar el rejuntado. En el caso de los morteros adhesivos, esto sucede a los 3 días; en los pegamentos más rápidos hay que seguir las instrucciones de empleo. El mortero de juntas se deja caer sobre el agua en dispersión y se remueve hasta obtener una masa cremosa sin grumos.
Las juntas rascadas se humedecen y se limpian previamente. El relleno de juntas se introduce con la goma de juntas o el escobillón de goma moviéndolo en todas direcciones (**Fig. 1**). Todos los huecos se deben relle-

Figura 1

Figura 2

Figura 3

nar bien y en los ángulos hay que trabajar con especial cuidado. El material sobrante se elimina en dirección diagonal con respecto a la junta. Cuando la masa de juntas aplicada se ha endurecido y ya no es posible eliminarla con agua o sacarla frotando, la superficie se limpia con una esponja y agua abundante. Las juntas más anchas de los baldosines del suelo se pueden repasar con mortero para juntas seco o arena cuarcífera. Luego se deja que la masa se endurezca y seque y, con un trapo, se elimina de la superficie la delgada película de mortero de juntas, con lo que la cubierta de baldosines ya está lista.

El rejuntado se debe proteger de la radiación solar intensa y del calor para que mantenga suficiente humedad durante el fraguado. Para lograr un endurecimiento suficiente hay que humedecer varias veces la superficie trabajada.

Rellenos de juntas de colores
En los rellenos de juntas de colores puede suceder que se vean tonos de color ligeramente diferentes en las juntas acabadas. Aunque el relleno de juntas se mezcla correctamente y de forma uniforme en el proceso de fabricación, las diferencias en la forma de trabajarlo pueden influir en el color.

El relleno de juntas se debe amasar siempre con la misma proporción de cantidades de agua y cemento en el rejuntado de una misma superficie porque, en caso contrario, pueden aparecer diferencias de tonos.

La masa de juntas de debe secar con una rapidez uniforme. Las velocidades diferentes de secado, por ejemplo, debidas al calor, pueden causar igualmente oscilaciones en el tono. En ocasiones, los cantos de los azulejos no esmaltados o con un esmaltado incompleto absorben agua del relleno de las juntas con diferente intensidad, y también por este motivo —debido a la aceleración del secado— puede variar el tono del color. Por eso, sobre todo en los azulejos gruesos, siempre hay que humedecer repetidamente el trabajo y también es conveniente mojar a fondo las juntas antes del rejuntado. El mortero de colocación que no ha secado completamente puede ocasionar asimismo variaciones en el color ya que el mortero, al ceder agua, influye sobre el secado regular de la junta.

Las juntas de colores también pueden variar de tonalidad más adelante, cuando la ducha ya se usa con frecuencia. Esto ocurre en duchas que permanecen húmedas mucho tiempo. Por eso, siempre se debe procurar que exista una ventilación adecuada que facilite un secado rápido de las superficies de las placas.

Juntas elásticas
En cualquier lugar donde exista el peligro de que las juntas puedan resquebrajarse por dilatación o por movimientos, se utiliza relleno de juntas elástico. Se trata de masillas impermeabilizantes de silicona o poliuretano que se venden en cartuchos y se aplican con un inyector.

Los rellenos de juntas elásticos se venden en blanco y gris y también en otros colores de material sanitario. Por eso se pueden elegir con un color que se adapte al de las juntas rígidas. Sobre todo en la transición del alicatado de la pared al de la bañera o la ducha es necesaria una impermeabilización duradera y elástica **(Fig. 2)**. La masilla impermeabilizador a fresca se alisa con el dedo **(Fig. 3)**. Las juntas también deben ser elásticas en las transiciones de los azulejos de la pared a las losetas del suelo, sobre todo cuando existe calefacción de suelo. Debido a los continuos cambios de temperatura, una junta rígida se resquebrajaría después de un corto período de empleo y podrían introducirse la humedad y la suciedad. Por eso estas juntas se reservan al rejuntar o, si es necesario, se rascan. Quien no tenga práctica con los cartuchos de inyección puede colocar cinta adhesiva lateralmente en toda la longitud de modo que quede libre una tira delgada de unos 2 mm a derecha e izquierda de la junta. Luego se corta la punta del cartucho con una cuchilla afilada de modo que quede una abertura de 4 a 5 mm de diámetro. Un corte oblicuo de la punta facilita el guiado del cartucho durante el rejuntado.

En la junta seca se inyecta a continuación el material con un movimiento lento y regular del cartucho de tal forma que la junta quede completamente llena.

La interrupción de la aplicación con una posterior reanudación del trabajo en una misma junta produce superficies onduladas. Se debe extraer relleno suficiente para que la superficie quede regularmente lisa, pero no hay que aportar demasiado material.

En los primeros intentos los resultados no serán perfectos, y por eso es recomendable practicar en un lugar que después no sea muy visible. Si la superficie no resulta suficientemente regular, se puede alisar con el dedo. Para que la masilla de juntas no se pegue al dedo conviene humedecerla de vez

Figura 1

Figura 2

Figura 3

en cuando durante el trabajo con agua mezclada con un detergente.

Una vez seco el relleno de juntas elástico, al cabo de un día aproximadamente, se arranca la cinta adhesiva.

Pegar azulejos nuevos sobre los antiguos

En la renovación de un cuarto de baño no es imprescindible arrancar los azulejos antiguos; se pueden colocar los nuevos directamente sobre el revestimiento antiguo (**Fig. 1**). De todos modos, no se debe utilizar un mortero adhesivo de endurecimiento hidráulico sino un adhesivo apropiado de dispersión de plástico que adhiera muy bien. En el envoltorio se indica siempre sobre qué tipo de cubiertas de azulejo u otras bases no absorbentes se puede aplicar el pegamento.

Debido al alto contenido de plástico y a las buenas propiedades ligadas a ello, estos adhesivos se pueden aplicar en capa muy fina sobre una base plana.

Las irregularidades sólo se pueden compensar hasta aproximadamente 1 mm; las irregularidades mayores se tienen que emplastecer antes de la aplicación.

Los azulejos antiguos se han de limpiar a fondo antes de pegar los nuevos, para eliminar cualquier resto de grasa y tener una buena superficie de adherencia. Con una llana de acero inoxidable o una espátula se extiende una delgada capa de adhesivo sobre la superficie del alicatado antiguo (**Fig. 2**). Así se mejora la adherencia y se alisan las pequeñas irregularidades. Una vez que la capa está seca, se aplica el adhesivo con una espátula dentada (**Fig. 3**) y se colocan los azulejos. En las conexiones para grifería la posición

Figura 4

Figura 5

Figura 6

de la tubería se debe trasladar con precisión al azulejo **(Fig. 4)**. Bajo el agujero marcado en el azulejo se coloca un martillo de albañil como soporte; luego se perfora el orificio con la punta del martillo de alicatar **(Fig. 5)** y a continuación se ajusta el azulejo **(Fig. 6)**.

Alicatado del suelo: ¿capa gruesa o capa delgada?

Antes de embaldosar hay que decidir si se quiere trabajar con un procedimiento de capa gruesa o, por el contrario; de capa delgada.

Procedimiento de capa gruesa

El procedimiento de capa gruesa es el que se utiliza tradicionalmente para colocar baldosines. Éstos se colocan directamente sobre un lecho de mortero de unos 15 mm de mortero de cemento.

Este procedimiento requiere cierta experiencia y por eso no es tan adecuado para un aficionando, pero con un poco de habilidad y de práctica se puede aprender también perfectamente. Una ventaja del procedimiento de capa gruesa es la posibilidad de compensar abombamientos e irregularidades al colocar los baldosines. La capa de mortero puede tener un grosor de 10 a 20 mm. Naturalmente, la superficie de los

baldosines debe ser plana y bien conformada.

Cuando al colocar los baldosines en el suelo se quiere formar una pendiente en dirección a un sumidero, el procedimiento de capa gruesa es prácticamente insustituible.

Procedimiento de capa delgada

Una alternativa al procedimiento de capa gruesa es el procedimiento de capa delgada. Éste requiere una base de aplicación plana, por ejemplo, un pavimento **(Fig. 1)**, sobre el que se aplica el adhesivo y se fijan los baldosines con la guía del cordón **(Fig. 2)**. Así se van colocando los baldosines uno tras otro y luego se rejunta el revestimiento **(Fig. 3)**.

Figura 1

Figura 2

Figura 3

Instalaciones sanitarias

Ejemplo: instalación de un baño pequeño

A continuación describiremos cómo incluso en una habitación muy pequeña, de sólo 5 m² de superficie, se puede instalar un cuarto de baño con ducha (**Fig. 1**).

El suelo negro y los azulejos de color gris claro con un dibujo poco llamativo crean un contraste intenso, pero de hecho son los azulejos de colores, al estilo del pintor holandés Piet Mondrian, los que, junto con la generosa superficie de espejos, dan carácter al cuarto de baño. Para que el plato de la ducha se pudiera hundir en el suelo se montó en la parte trasera un podio de hormigón gaseado (**Fig. 2**) que, además, proporcionaba espacio para la instalación de las tuberías de agua y de desagüe. La visera está formada por un espejo que ocupa toda la anchura y que destaca y oculta al mismo tiempo el escalón (**Fig. 3**). La estructura por debajo de la taza del lavabo, situada en el ángulo, y los estantes que la rodean se construyeron con bloques de hormigón gaseado y se alicataron igualmente en rojo, amarillo y azul. Un buen número de pequeñas lámparas halógenas instaladas en la repisa que remata el lavabo proporcionan una buena iluminación del conjunto. El suelo de la repisa está hecho con placas de madera contrachapada (**Fig. 4**) y listones (**Fig. 5**) en los que se montan después los focos halógenos. Antes del montaje definitivo se coloca la tapa del suelo y se comprueba que todo encaje (**Fig. 6**). A continuación se puede fijar toda la repisa a la pared desde el interior con tornillos (**Fig. 7**).

Figura 1

Figura 2

Figura 4

Figura 3

Figura 5

Figura 6

Figura 8

El inodoro colgante está montado directamente en instalación no empotrada en el rincón **(Fig. 8)**. Un bastidor de soporte le proporciona una buena base de apoyo **(Fig. 9)**. El plano esquemático **(Fig. 10)** proporciona información sobre la distribución y la disposición de los elementos.

Un detalle característico es la moderna taza del inodoro. El lema es agua en lugar de papel: para limpiar se utiliza un chorro

Figura 7

Figura 9

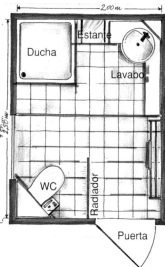

Figura 10

Figura 11

de agua caliente y, en lugar de papel, para secar se emplea aire templado que se obtiene presionando un botón **(Fig. 11)**. La cabina de la ducha se puede anclar sencillamente en la pared.

Grifería: consideraciones generales

Mientras que en los equipos de baño sencillos aún es muy corriente la grifería con dos man-

Figura 1

Figura 2

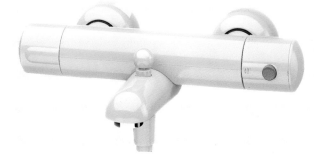

Figura 3

Figura 4

dos **(Fig. 1)** con una válvula para el agua caliente y otra para la fría, hoy en día, en los equipos de mayor nivel el mezclador monomando **(Fig. 2)** con el que se regulan la temperatura y la cantidad de agua con una mano es, en general, la grifería más utilizada.

Las juntas, que anteriormente eran de goma, suelen ser casi siempre discos cerámicos que proporcionan al mismo tiempo una estanqueización casi sin mantenimiento y un manejo muy suave. Junto a ello se ofrecen mecanismos de cierre con técnica de mezclado de rodamiento de acero inoxidable que se mueven como un grifo de rodamiento en manguitos impermeabilizados con teflón. Los mezcladores de termostato ahorran agua y energía **(Fig. 3)**. Sobre todo en las duchas, el ahorro conseguido mediante el ajuste inmediato de la temperatura del agua hace que la inversión se amortice en 3 años. Una batería de termostato proporciona un buen nivel de bienestar y también puede considerarse una protección para los niños ya que mediante un bloqueo del agua caliente se evita que los niños ajusten una temperatura por encima de los 38 °C.

Cuando haya que renovar el baño o cambiar la grifería, se debe pensar, entre otras cosas, en que el mantenimiento sea sencillo **(Fig. 4)**. Un mezclador de palanca con discos de impermeabilización cerámicos será siempre una buena elección. En productos de marcas conocidas puede partirse de la base de que el suministro de piezas de repuesto está garantizado durante décadas.

Existen grandes diferencias en cuanto a la comodidad del ajuste y la forma más sencilla de determinarla es utilizando la grifería.

Cuanto más largo sea el paso de ajuste en la denominada zona de bienestar, con mayor comodidad y seguridad se podrá ajustar la temperatura. Se considera zona de bienestar la zona de temperaturas entre 31 y 43 °C. En la grifería de dos mandos hay que fijarse especialmente en que el paso de ajuste entre grifo abierto y cerrado sea corto.

En los termostatos de ducha es importante el caudal del difusor. Así, una batería para el difusor móvil debería tener un caudal mínimo de 30 l por minuto y en el empleo como ducha lateral o de cabeza es recomendable un caudal de 40 l.

Hasta hace poco tiempo la grifería bajo revoque se consideraba de reparación complicada porque su acceso era difícil y la sustitución prácticamente imposible, pero en la actualidad la mecánica se aloja en cajas de montaje de fácil acceso o se puede alcanzar desde el exterior. De este modo, las placas de apoyo y la palanca se pueden cambiar con rapidez y sin ninguna dificultad.

En cuanto a técnica, duración y servicio no existen diferencias importantes entre la grifería bajo revoque o sobre revoque. Sobre todo en los últimos años ha empezado a aparecer grifería sanitaria de colores que, por regla general, es constructivamente semejante a las baterías cromadas, pero posee un lacado especial de las superficies por pulverización.

Este tipo de grifería es muy delicada, requiere cuidados especiales y no se puede limpiar con bayetas o productos de limpieza demasiado agresivos. De todos modos existen ya algunos productos con componentes con plástico coloreado más fáciles de limpiar.

Instalación y sustitución de la grifería

Montaje de la grifería de lavabo

Herramientas y material:
- Llave de tuercas o destornillador, según el modelo elegido
- Alicates para grifería (pico de loro)
- Juntas
- Tuercas
- Placa de apoyo

Operaciones:
- Colocar la grifería en la taza
- Corregir la posición
- Apretar las tuercas de fijación
- Curvar el tubo de conexión con cuidado hasta darle la forma adecuada
- Fijar los empalmes por aplastamiento y apretarlos

Atención. ¡Antes del montaje hay que cerrar la llave de paso! Para montar una batería con un orificio hay que colocar antes entre la grifería y la taza del lavabo una junta blanda de impermeabilización. Luego se encaja la grifería en la taza del lavabo desde arriba mediante el orificio central y desde abajo se introduce primero la placa de junta y después una placa de apoyo metálica. A continuación la grifería se fija con una tuerca. Ésta se aprieta con una llave de tuercas especial, aunque en ocasiones también se pueden utilizar unos alicates pico de loro. Al apretar la tuerca hay que procurar que la batería mezcladora esté bien recta. Se puede simplificar algo el montaje instalando primero la grifería y colgando el lavabo de la pared al final. La tuerca de la válvula se alcanza más fácilmente girando la taza y apoyándola en el suelo.

La batería mezcladora tiene dos tubos de cobre blandos de 10 mm que hay que encajar en los empalmes de las válvulas de escuadra. Los tubos se curvan con la mano simétricamente formando un arco suave para que puedan introducirse con facilidad en las válvulas de escuadra.

Para facilitar el montaje las válvulas también se pueden girar oblicuamente hacia el exterior o el interior, puesto que no es imprescindible que estén en posición vertical. A continuación se aprieta la tuerca de racor con una llave fija o con los alicates para grifería y se lleva a cabo la impermeabilización por medio de una unión por aplastamiento. La altura de montaje de las válvulas de escuadra es de 500 a 600 mm y la distancia entre ellas de 150 a 300 mm.

Junto a las baterías de un solo orificio existe también una gran variedad de baterías de varios orificios constituidas por una válvula de cierre para el agua fría y otra para el agua caliente con una boca intermedia. Para instalarlas hay que atravesar los tres orificios para las válvulas, y el montaje se efectúa de forma semejante a la descrita anteriormente.

Montaje de la grifería de la bañera y la ducha

Herramientas:
- Llave fija de 19 mm
- Destornillador
- Alicates para grifería (pico de loro)
- Cáñamo y masilla

Operaciones:
- Sellar las piezas excéntricas
- Enroscar y corregir la posición de las piezas excéntricas
- Instalar la grifería

Las tuberías de agua fría y agua caliente se instalan con tubo de cobre 15 × 1 o con tomas murales de 1/2 pulgadas como conexión de grifería.

La grifería se puede montar en la pared, empotrada o en el borde de la bañera.

El montaje en la pared se realiza por medio de dos tomas murales de 1/2 pulgadas situadas a 153 mm de distancia empleando dos piezas de conexión excéntricas que compensan las desviaciones en las medidas.

Las piezas excéntricas se deben sellar bien con cáñamo y masilla y luego se roscan directamente a las tomas de la pared **(Fig. 1)**.

Las dos piezas excéntricas se roscan con la misma profundidad (¡atención!, sólo hasta el tope) y se orientan (es conveniente utilizar un nivel) de modo que se ajusten a la grifería. A continuación se conecta la grifería con sus tuercas de racor a las piezas excéntricas **(Fig. 2)** y se aprietan las tuercas con los alicates para grifería **(Fig. 3)**. En el modelo de la

Figura 1

Figura 2

Figura 3

(Fig. 4), la conexión del difusor se efectúa a través de una manguera desde la grifería. El difusor se puede fijar con tacos en un soporte o en una barra para ducha para conseguir la máxima movilidad. En esta grifería única se puede conectar igualmente un grifo bascu-

lante que suministre al lavabo o a la bañera según las necesidades.

Las tomas de agua para la bañera y la ducha se instalan empotradas. El borde inferior de la toma de agua debe estar siempre al menos 20 mm por encima del borde de la bañera. Las tomas para las baterías colocadas en la pared se colocan generalmente a 700-750 mm por encima del suelo acabado, es decir, unos 150 mm por encima del borde de la bañera. El agua debe caer en el tercio inferior de la bañera, cerca del desagüe, para que no resulte molesta durante el baño. Si la toma se instala en el extremo de la bañera, no se debe situar en el centro para que el agua no escape por el rebosadero.

Las duchas son las únicas instalaciones del baño en las que tiene sentido el empleo de una grifería mezcladora regulada con termostato, porque en la grifería de dos mandos puede ser muy lento y engorroso ajustar la temperatura correcta del difusor, sobre todo cuando oscilan la temperatura y la presión del agua. Por eso para el baño y la ducha son apropiados los mezcladores de palanca, con los que se puede modificar rápidamente y de forma bien dosificada la relación de agua caliente y agua fría. Según las versiones, las baterías mezcladoras se pueden montar sobre la bañera o en la bañera. En la pared el montaje se efectúa en conexiones murales con una amplitud de conexión de 153 mm. La unión con el difusor se realiza a través de una manguera, y el difusor se puede deslizar sobre una barra. La altura de montaje para la grifería mezcladora es de 1.200-

Figura 4

- 90 cm a lo ancho
- 60 cm por delante (desde el borde frontal)

Si es posible, las medidas no deben ser inferiores a éstas y, naturalmente, medidas mayores aumentarán la comodidad. También existen distancias mínimas con respecto a los aparatos sanitarios más próximos. En este caso lo importante son los espacios intermedios porque es frecuente que las dimensiones de los accesorios difieran de las dimensiones normales representadas en el plano. En cualquier caso es aconsejable instalarlos en una sola pared.

1.300 mm. Se coloca lateralmente cerca de la zona de entrada.
Si quiere montar una barra deslizante para el difusor, debe calcular que el extremo más alto de la barra se sitúe a la altura de la cabeza del miembro más alto de la familia. El difusor se podrá desplazar hacia abajo si lo utiliza otra persona.

Instalación de un lavabo

Principios de planificación

El lavabo es el aparato sanitario más utilizado de la casa. Lavarse las manos, limpiarse los dientes, afeitarse, maquillarse, peinarse: todo esto se hace en el lavabo. Por este motivo, en la planificación de la instalación hay que prever un espacio suficiente para moverse cómodamente y pensar además en las superficies necesarias para colocar todos los elementos que se utilizan para el aseo diario, como cosméticos, toallas, etc.
Las dimensiones óptimas de montaje son las siguientes:
Altura del borde superior del lavabo:

- Para adultos: 82-86 cm
- Para ancianos: 80-82 cm

Superficie libre mínima en torno a un lavabo de 53 cm de anchura:

Fijación de los pernos

Herramientas:
- Taladradora con broca para piedra de 14 mm
- Llave para pernos
- Llave fija de 13 mm
- Nivel de burbuja

Operaciones:
- Marcar la posición de los taladros
- Hacer los taladros para los tacos
- Colocar los pernos

Partiendo del punto medio entre las dos válvulas de escuadra se marcan con la ayuda de un nivel los agujeros para los pernos **(Fig. 1)**. Estos pernos **(Fig. 2)** tienen en un extremo una rosca

Figura 1

Figura 3

Figura 5

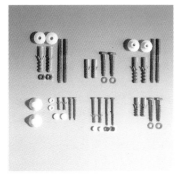

Figura 2

Figura 4

para madera que se rosca en el taco de la pared, y en el otro, una rosca métrica para las tuercas de fijación de la taza del lavabo. Los pernos se atornillan a la pared con una llave especial para pernos.

Para ello se atornilla la rosca metálica del perno en el vástago central de la llave y se asegura con un tornillo de fijación apropiado **(Fig. 3)**. El perno, que ahora está bien sujeto, se puede roscar a continuación en el taco de la pared **(Fig. 4)**. Luego se aflojan los tornillos de fijación y se retira la llave.

Montaje del lavabo y conexión del agua

Herramientas y material:
- Cemento blanco (relleno de juntas blanco)
- Vaselina
- Llave fija de 13 mm y llave fija de 17 mm
- Pincel
- Espátula

Operaciones:
- Aplicar el cemento blanco
- Montar la taza del lavabo
- Establecer las conexiones del agua

El montaje del lavabo se facilita si antes del montaje en la pared la batería mezcladora se coloca en la taza. Si no se hace así, surgirán problemas por falta de espacio suficiente para trabajar entre el borde trasero del lavabo y la pared.

La pared trasera de la taza se pinta con una capa fina de vaselina y a continuación se aplica el cemento blanco (relleno de juntas blanco). De este modo el lavabo se apoya mejor en la pared y, además, la humedad o la suciedad no pueden introducirse en el intersticio entre la taza y la pared. Luego se desliza el lavabo sobre los pernos **(Fig. 5)**. La altura del lavabo ya no se puede modificar, pero sí corregir la anchura de 1 a 2 cm. Mientras usted sostiene el lavabo, un ayudante aprieta las tuercas de los pernos **(Fig. 6)**.

Para hacer la conexión a las válvulas de escuadra hay que curvar los tubos de cobre de la grifería cuidadosamente con la mano **(Fig. 7)**.

Es posible que los tubos se ten-

Figura 6

Figura 7

Figura 9

gan que acortar o alargar. Si éste es el caso, curve los tubos hacia delante hasta que pueda utilizar el cortatubos. Si no puede hacerlo de este modo, es aconsejable desenroscar la grifería y cortar el tubo correspondiente.

Conexión del desagüe

Herramientas y material:
• Destornillador
• Alicates para sifones (pico de loro)
• Masilla selladora
• Si es necesaria, sierra para metales
• Si es necesaria, lima

Operaciones:
• Sellar la copa de la válvula
• Colocar la válvula de desagüe
• Montar el sifón

En el fondo de la taza del lavabo se encuentra la abertura para la válvula de desagüe. Por detrás desemboca directamente en el desagüe el conducto del rebosadero, que por lo general está moldeado en la misma pieza del lavabo. La copa de la válvula (apoyada en la taza del lavabo) y la parte inferior de la válvula (que se monta por debajo del

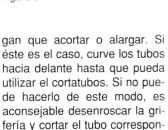

Figura 8

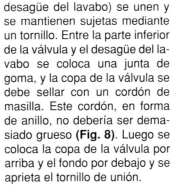

Figura 10

desagüe del lavabo) se unen y se mantienen sujetas mediante un tornillo. Entre la parte inferior de la válvula y el desagüe del lavabo se coloca una junta de goma, y la copa de la válvula se debe sellar con un cordón de masilla. Este cordón, en forma de anillo, no debería ser demasiado grueso **(Fig. 8)**. Luego se coloca la copa de la válvula por arriba y el fondo por debajo y se aprieta el tornillo de unión.
A continuación el sifón se lleva al desagüe de la pared y se ajusta bajo la parte inferior de la válvula **(Fig. 9)**. Luego se gira con la mano la tuerca del tubo del sifón sobre la parte inferior de la válvula y se aprieta ligeramente con los alicates especiales para sifones **(Fig. 10)**. Los trozos de manguera de plástico

que cubren las mordazas protegen la delicada película de cromo frente al dentado de los alicates.
Si no se dispone de unos alicates especiales también se pueden utilizar alicates para grifería envolviendo el tubo cromado con un trapo para protegerlo de los arañazos.
A menudo se debe acortar el sifón para conseguir un acoplamiento exacto. Para no deformar el delgado metal al realizar esta operación, hay que serrarlo con cuidado en el taller con la sierra para metales colocando en su interior un trozo de madera redondo hecho a medida envuelto en papel. Los cantos vivos que puedan aparecer se deben limar cuidadosamente.

Montaje de un bidé

Los bidés se han ido imponiendo de forma creciente. En las construcciones nuevas o en las renovaciones con un equipo algo superior son un componente normal de la instalación sanitaria. Según las series de equipo para el baño, hay bidés para colgar en la pared y bidés para colocar apoyados en el suelo. Los de suelo tienen una altura de 360-400 mm y los colgantes se montan a 400 mm de altura. En los bidés colgantes hay que prestar especial atención a una buena fijación del aparato.

Figura 1

Figura 3

Herramientas y material:

• Llave de tuercas
• Alicates para grifería (pico de loro)
• Nivel de burbuja
• Cáñamo y masilla

Figura 2

Figura 4

Operaciones:
• Colocar las válvulas de escuadra y los pernos de soporte
• Fijar la grifería
• Fijar el bidé
• Establecer las conexiones

Para el bidé se necesita una toma de agua fría y una de agua caliente de tubo de cobre 12 × 1 o 15 × 1. La grifería estándar utilizada habitualmente, que, como en el lavabo, se monta en el borde de la taza, se conecta con válvulas de escuadra. Como el espacio bajo el bidé es muy reducido, las válvulas de escuadra deben estar separadas por una distancia mayor que la que existe en los lavabos. Con una altura de 150 mm por encima del suelo acabado, se sitúan a una distancia de 300 mm. Las

dimensiones exactas para el montaje del bidé se pueden encontrar en los correspondientes datos del fabricante y varían, en parte, de un producto a otro.
El montaje del bidé colgante es muy parecido al del lavabo (véase pág. 54).
En primer lugar hay que roscar las válvulas de escuadra y los pernos de sujeción del bidé **(Fig. 1)**. Luego se fija el bidé a la pared. Para ello las tuberías de toma de agua de la grifería monomando se pasan a través del agujero de mezclado del bidé y se rosca la grifería. A continuación se desliza el bidé sobre los pernos de soporte y se fija **(Fig. 2)**. Los tubos del agua fría y del agua caliente se conectan a las válvulas de escuadra **(Fig. 3)**. Por último, la

válvula de desagüe y el sifón se conectan como en el montaje del lavabo **(Fig. 4)**. Los empalmes de salida se encajan en el manguito de la tubería de desagüe. Las diferencias en los diámetros de las tuberías se pueden compensar mediante una boquilla de goma.

Instalación de la bañera

Consideraciones generales

La bañera es el objeto más voluminoso de los aparatos sanitarios del cuarto de baño y, por esta razón, determina la disposición de los restantes aparatos. Debería elegirse el mayor tamaño posible para poder estirarse completamente y conseguir la relajación deseada.

Las bañeras cortas o las de asiento son siempre soluciones de emergencia para espacios reducidos, y la bañera estándar de 170 cm de longitud ha sido desplazada por la bañera larga, más confortable, de 180 cm. Las bañeras pueden colocarse libremente en la habitación, apoyándolas sobre unas patas, revestidas y alicatadas en soportes de bañera regulables o sobre un bloque portante de espuma sintética.

El material puede ser fundición de hierro, plancha de acero o material acrílico. Las bañeras metálicas son mejores conductoras del calor que las acrílicas, son más lisas y, además, transmiten los ruidos con mayor intensidad.

La superficie de las bañeras de material acrílico es muy sensible a los arañazos y a los productos químicos. En casas con niños pequeños es preferible no utilizarlas.

Preparación del portabañera, del desagüe y de la abertura de revisión

A continuación describiremos la forma de colocar una bañera en un bloque de espuma sintética.

Herramientas:
- Una cuchilla afilada de hoja larga (p. ej. un cuchillo del pan) o un serrucho largo y estrecho
- Rotulador para marcar

Operaciones:
- Colocar las piezas de separación
- Quitar el trozo del desagüe

Figura 1

Figura 2

Figura 3

Figura 4

- Marcar la posición de la válvula de desagüe
- Marcar y cortar la abertura de revisión

El soporte de espuma sintética para la bañera debe ajustarse perfectamente a la forma y el tamaño de la bañera que ha de acoger. La unión correcta a la pared queda asegurada mediante barras de enganche a la pared, cuñas de adaptación y piezas macizas **(Fig. 1).** Las barras de enganche están construidas de modo que establecen automáticamente la distancia entre la bañera y la pared, tanto para el alicatado con capa delgada como para el de capa gruesa. Las barras llevan unos botones con un espesor casi doble que hay que romper si se uti-

liza el procedimiento de capa delgada. Las barras así preparadas se fijan con los tacos especiales que se adquieren con el portabañeras. Luego se preparan las piezas angulares laterales. Éstas están pensadas en principio para bañeras con frente vertical. Si quiere un frente de bañera contraplomado para el escalón, tendrá que romper las piezas separadoras que hay en el arco. Luego se desplaza el bloque hasta el lugar elegido y se marca el paso para el desagüe; en nuestro ejemplo, viene de un lado. La abertura se sierra con el cuchillo o con un serrucho. Como es difícil trabajar en el reducido espacio que queda por debajo del soporte de la bañera, hay que preparar previamente la válvula de desagüe y

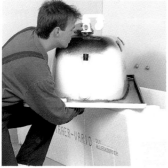

Figura 5

Figura 6

Figura 7

el sifón. Para ello se empuja el soporte de la bañera hasta la pared y se coloca la bañera sobre él. A través del orificio de desagüe se marca en el suelo la posición exacta de la válvula **(Fig. 2)**. Ahora se puede marcar también la posición de la abertura de revisión **(Fig. 3)**. La medida correcta se determina pegando los azulejos provisionalmente con cinta adhesiva de crepé al portabañeras y colocando a continuación el marco de la trampilla de revisión. Así se obtiene hacia arriba el tamaño completo del azulejo, y hacia el suelo, el azulejo cortado. La válvula, el sifón (blanco) y la tubería de conexión con el desagüe (gris) se pueden montar ahora fácil y cómodamente desde arriba **(Fig. 4)**.

Accesorios de desagüe y puesta a tierra

Herramientas:
• Rotulador
• Sierra de calar
• Cable de puesta a tierra
• Destornillador
• Masilla selladora

Operaciones:
• Montar el desagüe y el rebosadero
• Poner la bañera a tierra

Los desagües de las bañeras tienen 40 mm de diámetro, pero la tubería de conexión al desagüe ha de tener 50 mm de diámetro. El montaje plano de la válvula y el sifón obligado por la escasez de espacio por debajo de la bañera exige que

el desagüe esté muy bien colocado. El mayor diámetro de la tubería de conexión debe impedir la succión del cierre inodoro del sifón.

Para facilitar el montaje de la válvula de desagüe se vuelca la bañera **(Fig. 5)**.

Igual que en la taza del lavabo, en torno a la copa de la válvula se coloca un anillo de masilla para asegurar una estanqueidad absoluta en este punto. Después se aprieta el tornillo, primero con la mano y a continuación con el destornillador. La masilla sobrante se limpia inmediatamente con un trapo húmedo.

Los desagües de la bañera están fabricados de modo que se adaptan a la mayoría de las bañeras. La longitud del tubo del rebosadero se debe adaptar a la bañera elegida en cada caso. Para ello se sostienen las dos piezas, previamente montadas una junto a otra, y se marca la línea de corte con un rotulador **(Fig. 6)**. El manguito enchufable garantiza una unión segura. Ahora puede conectarse ya el cable para la toma de tierra a la brida prevista para este fin.

Colocación de la bañera

Herramientas y material:
• Soporte de la bañera
• Adhesivo o mortero
• Espátula
• Nivel de burbuja

Operaciones:
• Aplicar el mortero o el adhesivo de dispersión
• Colocar el soporte de espuma sintética
• Colocar la bañera
• Hacer la prueba de carga

Para colocar la bañera es indispensable la colaboración de un ayudante fuerte, ya que la bañera de acero o de fundición es un aparato bastante pesado y poco manejable. El soporte de espuma sintética puede colocarse directamente sobre el suelo en bruto en una capa de mortero. Esta capa se debe aplicar de modo que los cordones de mortero penetren entre las nervaduras del portabañeras y así se puedan compensar las irregularidades del suelo y las diferencias de altura, pero la capa no debe ser demasiado gruesa.

Con el nivel sobre la diagonal de la bañera se controla la horizontalidad. Si el portabañeras está recto, se coloca la bañera **(Fig. 7)**. Una vez que haya fraguado el mortero, se llena de agua la bañera con lo que el portabañeras se asienta en su forma definitiva.

El soporte de espuma sintética no necesita ninguna preparación y se puede alicatar directamente.

Montaje de una ducha

Principios de planificación

Los cuartos de ducha requieren menos espacio y, con un consumo medio de 50 l por ducha, resultan mucho más económicos que un baño completo, tanto en consumo de agua como de energía. La condición necesaria para poder instalar un cuarto de ducha es la existencia de tomas de agua y de desagües o la posibilidad de instalar-

los. El lugar ideal es junto a la bañera o en línea con ella: así se pueden alcanzar las tuberías de alimentación y de desagüe mediante prolongaciones cortas.

Los platos de ducha son cuadrados, rectangulares o con un frente en semicírculo. Se fabrican de fundición de hierro o chapa de acero esmaltadas, de material acrílico o de cerámica. En la planificación hay que tener en cuenta que bajo el plato debe quedar espacio suficiente para el desagüe. Existen cabinas de ducha adaptadas a todas las formas básicas del plato y, en general, se ha impuesto una altura de bastidor de 175 cm. El sistema estándar consiste en la instalación en una esquina de la habitación o la instalación con una puerta corredera única entre dos paredes. El frente delantero semicircular sólo se puede montar en una esquina y únicamente puede colocarse sobre el plato de ducha correspondiente. Una solución sencilla y rápida es la ducha prefabricada, que simplemente se coloca en la posición conveniente. El sifón y las tomas de agua ya están instalados, al igual que la grifería, la ducha y la barra de ducha.

Colocación del plato de ducha

Herramientas y material:
- Llave fija
- Nivel de burbuja
- Herramientas para alicatar
- Cartucho de masilla selladora con inyector

Operaciones:
- Pegar las patas bajo el plato de ducha

- Corregir la posición del plato
- Conectar el desagüe
- Tabicar el revestimiento
- Alicatar la pared y el pie del plato

Un plato de ducha sólo ocupa aproximadamente un tercio de la superficie que necesita una bañera, y también es más pequeño el espacio libre por debajo del plato. El sifón y el desagüe no se diferencian, sin embargo, en cuanto a las dimensiones de los que se colocan bajo una bañera. En consecuencia, el espacio que queda por debajo de la ducha es muy reducido.

Existen en el mercado soportes para platos de ducha constituidos por un bloque de poliuretano o por un bastidor de acero con tres, cuatro o cinco patas que se pueden regular individualmente enroscándolas o desenroscándolas.

Estas patas están unidas a una pieza central, y uno de los brazos puede girarse lateralmente con el fin de evitar el desagüe.

En los puntos de apoyo, los soportes del plato tienen tiras adhesivas de material aislante que impiden la transmisión de ruidos desde el cuerpo metálico del plato a la pata de soporte y posteriormente al suelo.

En primer lugar se coloca el soporte del plato y se fija la posición del desagüe. A continuación se prueba el plato y se marcan todos los puntos de apoyo que se puedan alcanzar en el reducido espacio que queda por debajo. Luego se retira el plato y se coloca del revés, y el soporte con las tiras aislantes adhesivas se pega encima del plato. Después se coloca el plato en posición y se nivela con ayuda del

Figura 1

Figura 2

nivel de burbuja (**Fig. 1**) enroscando o desenroscando las patas. Igualmente se marca la posición de las patas en el suelo y posteriormente la del borde superior del plato en las paredes.

Para el apoyo lateral en la pared hay ángulos de fijación especiales de los que se fijan tres piezas: dos en una pared con una separación media de 60 cm, y uno en la pared contigua a la altura del soporte mural exterior. Así queda asegurado (sobre todo en los soportes de plato de tres patas) un apoyo muy estable.

El desagüe ya colocado se une a continuación al plato de la ducha y se sella limpiamente; las operaciones son las mismas que se efectúan en la instalación del lavabo o la bañera.

Si se ha instalado un plato metálico no hay que olvidar la toma de tierra. El cable, como en la bañera, se conecta a una brida en el cuerpo del plato o, si existe, a la válvula metálica del desagüe.

El revestimiento se puede realizar con tiras delgadas de hormigón gaseado, que se cortan fácilmente con el tamaño exacto y se pegan no sólo en los lados

abiertos del plato sino también junto a las paredes. Así se consigue un pequeño apoyo, aunque se reduce aún más el hueco por debajo del plato.

El plato revestido con hormigón gaseado se alicata junto con las paredes y, por último, las juntas de unión con las paredes se sellan con una masilla de silicona (**Fig. 2**).

Montaje y colocación de la cabina de ducha

Herramientas:
- Taladradora
- Destornillador
- Nivel de burbuja
- Metro de carpintero

Operaciones:
- Montar el bastidor
- Colocar los perfiles de la pared
- Enganchar el bastidor y corregir su posición
- Corregir la posición de las puertas

Las cabinas de ducha se compran con todos los elementos de montaje, desde la masilla selladora hasta el último tornillo. Normalmente, los accesorios

necesarios están incluidos en el paquete.

Antes de empezar el trabajo, lea atentamente las instrucciones de montaje (véase **fig. 1** en la página 62). Con un ayudante habilidoso la colocación resulta más sencilla y las operaciones se realizan con mayor facilidad.

Las piezas de aluminio del bastidor y las placas de vidrio o de vidrio artificial son muy sensibles a los golpes con objetos punzantes y duros.

Por ese motivo hay que separar los tornillos del bastidor y de las piezas de vidrio y colocar entonces las piezas para el montaje sobre una superficie de apoyo blanda.

Si la cabina de la ducha tiene elementos desiguales, es importante que se fije en qué lado hay que montar los elementos cortos y en cuál los largos al colocar los perfiles guía superiores e inferiores.

Las piezas verticales del bastidor se pueden montar en cualquier posición. Las uniones de esquina sólo se encajan y se atornillan, pero hay que distinguir entre bastidor superior e inferior. Para el bastidor superior los perfiles guía (N.° 10 en la **fig. 1**) se encajan en la unión de esquina y se fijan con los tornillos (N.° 11); después se encaja la caperuza protectora (N.° 9). En el bastidor inferior hay que montar además los tornillos (N.° 6); los tornillos de unión no se aprietan desde la parte frontal sino desde arriba. Los tornillos inferiores se articulan en la unión de esquina por medio de espigas.

Accionándolos se pueden desenganchar las puertas para limpiarlas.

Para empezar, el bastidor montado con las puertas engancha-

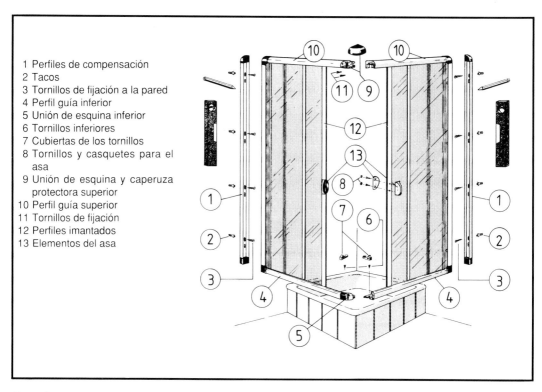

1 Perfiles de compensación
2 Tacos
3 Tornillos de fijación a la pared
4 Perfil guía inferior
5 Unión de esquina inferior
6 Tornillos inferiores
7 Cubiertas de los tornillos
8 Tornillos y casquetes para el asa
9 Unión de esquina y caperuza protectora superior
10 Perfil guía superior
11 Tornillos de fijación
12 Perfiles imantados
13 Elementos del asa

Figura 1

Figura 2

Figura 3

das se coloca provisionalmente como prueba sobre el plato de la ducha y se marca la unión a la pared con un trazo a media altura.

Los perfiles murales han de quedar perfectamente colocados y atornillados. Para ello se coloca el carril sobre la marca y se comprueba su verticalidad con el nivel **(Fig. 2)**. Como la marca está en el centro, se puede corregir la posición hacia la derecha o la izquierda. Los puntos donde hay que taladrar para colocar los tacos se marcan con un rotulador directamente a través de las correspondientes aberturas del perfil. Ahora ya se pueden taladrar los agujeros, colocar los tacos y atornillar los perfiles. Antes de ajustar el bastidor hay que enganchar las puertas **(Fig. 3)** y asegurarlas mediante las uniones de esquina (N.° 6). Luego el bastidor completo con las puertas montadas se coloca sobre el plato de la ducha y se introducen los perfiles laterales en los carriles

Figura 4

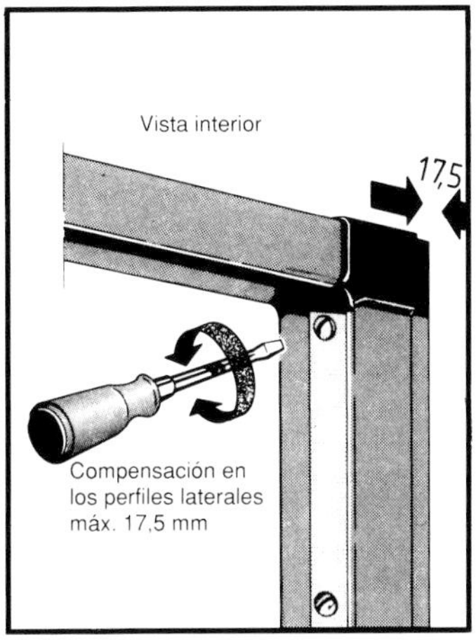

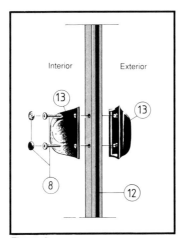

Vista interior

175

Compensación en
los perfiles laterales
máx. 17,5 mm

Figura 5

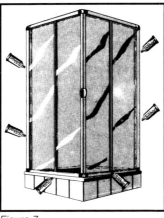

Interior

Exterior

13

13

8

12

Figura 6

Instalación de un inodoro

Consideraciones generales

Según la forma de utilización, hay que distinguir entre inodoros de asiento y placas turcas. El inodoro de asiento está hecho de cerámica y lleva un asiento de plástico o de madera y una tapa. Por la forma de construcción se dividen en inodoros de descarga superficial e inodoros de descarga profunda. Los de descarga superficial originan las mayores molestias por malos olores, porque las materias fecales se acumulan en la bandeja, pero por razones sanitarias puede ser necesario controlar las deposiciones. Los malos olores son un problema mucho menor en los inodoros de descarga profunda porque las materias fecales llegan inmediatamente al agua del cierre hidráulico del sifón. En general se ha impuesto el empleo del inodoro de descarga profunda.

Para el inodoro se necesitan una toma de agua y un desagüe. Las dos cosas pueden encontrarse tanto en el cuarto de baño como en el retrete. En las instalaciones nuevas hay que comprobar la posibilidad de llegar a la bajante más próxima necesaria para el desagüe por el camino más corto. La toma de agua no suele plantear problemas y se puede prolongar con facilidad.

Como en cualquier otro aparato sanitario, también en el inodoro hay que prever un espacio libre suficiente para utilizarlo cómodamente y sin molestias.

de la pared. Todos los elementos deberían encajar sin una holgura excesiva. Para atornillar las piezas, se deslizan las puertas hasta la esquina y se aprietan los tornillos **(Fig. 4)**. En este equipo de montaje los perfiles laterales se pueden ajustar unos 17,5 mm apretando o aflojando los tornillos de las esquinas superior e inferior. Las cuatro esquinas de unión se comprueban con el nivel y, si es necesario, se corrige la orientación del bastidor lateral y se fija **(Fig. 5)**.

También las puertas deben colgar verticales. La verticalidad se corrige automáticamente a través de la fijación del bastidor, y en sentido horizontal el margen de corrección es de unos 5 mm. Para ello hay que aflojar o apretar los tornillos de las dos esquinas exteriores y controlar de nuevo la horizontalidad con el nivel. Después se pueden fijar los elementos del asa **(Fig. 6)**.

Por último, se sella la junta entre la pared y el plato inyectando la masilla que se incluye en el equipo y alisándola **(Fig. 7)**.

Figura 7

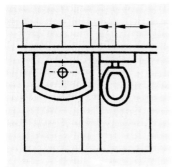

Figura 1

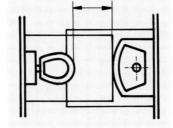

Figura 2

Figura 3

La distancia mínima a la pared lateral más próxima debe ser de 40 cm, y la distancia con respecto a otro aparato sanitario, de 10 cm como mínimo. Por delante se necesita un espacio libre de al menos 50 cm (**Figs. 1 y 2**).

Colocación de la taza y conexión del desagüe

Herramientas y material:
• Taladradora
• Destornillador
• Nivel de burbuja
• Metro de carpintero
• Tornillos
• Masilla para azulejos
• Masilla de silicona

Operaciones:
• Conectar la pieza de transición
• Colocar la taza del inodoro
• Atornillar la taza del inodoro

Para la conexión de la taza del inodoro se utilizan piezas de empalme de plástico. Son fáciles de instalar y las juntas de goma interiores proporcionan una buena estanqueidad. Las

hay con piezas de transición de goma para conexión a tubos cerámicos, de hierro, de plomo o de plástico y existen versiones para cualquier radio de curvatura, además de prolongaciones y transiciones para distintos diámetros de tubo. La pieza de transición se enchufa en el tubo de desagüe, que puede ir en la pared o, como en nuestro caso, en el suelo (**Fig. 3**). Un manguito hace la transición más limpia. La abertura con el labio de goma señala hacia la taza.

Para preparar el montaje se enchufa la pieza de transición y se coloca delante de ella la taza del inodoro. A continuación se mide la profundidad del tope (**Fig. 4**), que es lo que debe penetrar en el empalme de la taza en la conexión (unos 5 cm), y esta medida se marca en la taza con un lápiz graso (para poder borrarla después). Se coloca entonces la taza en posición y se marcan los orificios para los tornillos (**Fig. 5**). Se aparta la taza y se hacen los taladros.

Al colocar definitivamente la taza hay que controlar la horizontalidad con el nivel.

Si la taza no está horizontal, se corrige la inclinación con un poco de masilla para azulejos. La compensación debe hacerse

Figura 4

Figura 5

aplicando una cama completa de masilla porque, de lo contrario, la taza podría romperse al cargarla.

Por la misma razón hay que evitar el contacto directo entre la taza y el tornillo. Una arandela de plástico impide que el tornillo metálico desconche la

Figura 6

Figura 7

taza al ser apretado **(Fig. 6)**. La taza se fija con tornillos para montaje de inodoros, y las cabezas de los tornillos se tapan con una cubierta del color apropiado.

Una vez colocada la taza, se rejunta con silicona todo el perímetro de la unión entre la taza y el suelo **(Fig. 7)**. Así se asegura que la suciedad y la humedad no penetren en la junta entre el lavabo y el suelo y lleguen a provocar la aparición de malos olores.

El inodoro colgante se fija a la pared, como la taza del lavabo, es decir, con dos pernos de sujeción. La pared debe tener cuanto menos 15 cm. Siempre es preferible la fijación a un bastidor de montaje oculto tras un tabicado.

Montaje de la cisterna

Herramientas y material:
- Metro de carpintero
- Taladradora
- Destornillador
- Nivel de burbuja
- Llave fija o alicates para grifería (pico de loro)
- Si es necesario, alambre

Operaciones:
- Trazar la posición de la cisterna en la pared
- Instalar el tubo de descarga
- Colocar la cisterna
- Instalar la acometida de agua (conectar la acometida de agua a la válvula de escuadra)

Actualmente, las cisternas de descarga suelen colocarse a poca altura junto a la pared y por detrás del inodoro. Acostumbran a situarse justo por encima de la taza.

Los mecanismos modernos de entrada y descarga de agua pueden regularse de forma precisa. El depósito está revestido interiormente con un forro de espuma sintética para el aislamiento acústico y para evitar la condensación.

La cisterna debe montarse de modo que el tubo de descarga entre en la taza lo más recto posible porque las curvas reducen la velocidad de caída del agua, y por lo tanto, la capacidad limpiadora. Si es posible, la entrada de agua y la válvula de escuadra de la tubería de agua deberán estar en un mismo plano. La colocación más discreta de la entrada de agua en la cisterna es la posición trasera central, pero esto no siempre es posible y, por eso, todos los fabricantes ofrecen la posibilidad de elegir un montaje a la iz-

quierda, a la derecha o en el centro. El elemento decisivo en la medición de la altura de montaje de la cisterna es la distancia entre el fondo de la cisterna y la entrada de agua en la taza: según el fabricante varía entre 12 y 20 cm.

Para hacer el montaje rosque el tubo de descarga a la cisterna y apoye la cisterna sobre la rodilla. Así podrá medir con precisión la altura de montaje **(Fig. 8)**. El nivel colocado encima de la cisterna asegura la horizontalidad de la instalación. Para marcar los taladros es conveniente pegar una cinta adhesiva sobre el nivel, en la que se marcarán el centro y los dos puntos de perforación a la derecha y a la izquierda **(Fig. 9)**. Así se puede trasladar

Figura 8

Figura 9

la medida a la pared con exactitud (**Fig. 10**). Luego se separa el tubo de descarga de la cisterna, se corta de modo que se ajuste a la taza del inodoro y se monta en la taza.

A continuación se coloca la cisterna sobre el tubo de descarga y se cuelga con los tornillos de fijación (**Fig. 11**). Hay que comprobar que todo esté bien ajustado y que la junta de goma encaje.

Después se aprieta la tuerca de racor situada bajo la cisterna y así se establece una unión estanca.

Por último, se unen con un tubo de cobre la entrada de agua y la válvula de escuadra de la pared (**Fig. 12**).

Esto se realiza de nuevo mediante empalmes de aplastamiento comprobando que las juntas estén colocadas en el orden correcto.

El tubo de cobre debe curvarse de modo que se adapte a la posición de las conexiones. Si el arco es complicado es aconsejable hacer una plantilla con alambre.

Sustitución de una cisterna defectuosa

Herramientas y material:
- Equipo de montaje
- Destornillador
- Alicates para grifería (pico de loro)
- Serrucho
- Cuchillo

Operaciones:
- Cerrar la llave de paso
- Desenroscar la cisterna antigua

Figura 10

Figura 11

Figura 12

- Desenroscar la roseta
- Cortar el tapón
- Cambiar la válvula de escuadra
- Colocar la cisterna nueva
- Montar el codo de descarga
- Ajustar el nivel de llenado

En el ejemplo presentado se ha sustituido una cisterna de los años sesenta. Las cisternas nuevas tienen con frecuencia los mismos puntos de sujeción y son tan anchas como los modelos antiguos. El hecho de que sean un poco más altas y planas tiene poca importancia en el presente caso. Aunque el tubo de descarga se debe acortar, el equipo de montaje no sólo incluye todos los elementos de fijación, una válvula de escuadra y los tubos de conexión, sino también un nuevo codo de descarga.

¡Atención! Antes de empezar el trabajo, cierre la llave de paso principal.

Ahora puede desenroscar el tubo de entrada en la cisterna (**Fig. 1**). Después se suelta el tubo de descarga y se saca la cisterna antigua previamente vaciada tirando hacia arriba (**Fig. 2**).

La antigua roseta situada entre la taza y el arco de descarga se desenrosca (**Fig. 3**) y a continuación se puede sacar el codo de descarga. En las cisternas de 6l es necesario cortar el tapón en el recipiente de frenado (**Fig. 4**).

Si la válvula de escuadra es muy vieja y cuesta moverla, también se tendrá que desenroscar y cambiar.

Las cisternas nuevas se pueden enganchar en el lugar de los antiguos puntos de fijación y, con frecuencia, se ajusta incluso el tubo de entrada. Utilizando el codo de descarga antiguo se puede medir y marcar con facilidad la longitud del nuevo (**Fig. 5**). Con un serrucho se corta a continuación el tubo de plástico (**Fig. 6**) y luego se rosca el tubo a la cisterna ¡pero sobre todo sin olvidar las juntas!

Figura 1

Figura 4

Figura 7

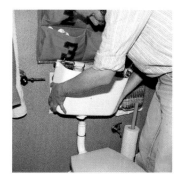

Figura 2

Figura 5

Figura 8

Figura 3

Figura 6

La conexión con la taza se realiza, según el modelo de inodoro, con una unión interior o, en modelos más antiguos, con un manguito de goma que se encaja por encima del empalme **(Fig. 7)**. Si el encaje resulta difícil, es aconsejable calentar brevemente el manguito con la pistola de aire caliente y apretar por encima de la conexión. Una vez ajustado el nivel de llenado **(Fig. 8)** se coloca la tapa sobre la cisterna nueva y la instalación queda completada **(Fig. 9)**.

Figura 9

Sustitución de una cisterna alta por una baja

Herramientas:
- Sierra para metales
- Herramientas para cortar y curvar tubos
- Llave fija o alicates para grifería
- Taladradora
- Destornillador

Operaciones:
- Cerrar la válvula de escuadra
- Sacar la cisterna
- Montar la cisterna nueva
- Llevar la tubería de agua a la cisterna nueva

Actualmente casi no se encuentran cisternas de descarga altas, aunque antes eran el tipo más corriente. Hay muchas razones que aconsejan la sustitución de una cisterna alta por una baja. Las cisternas de descarga altas tienen una capacidad de 12 l (usual en las instalaciones sanitarias antiguas), y el ruido que produce esta cantidad de agua en el largo tubo, que a menudo carece además de aislamiento acústico, es muy grande. A ello hay que añadir el ruido de la entrada del agua en la cisterna abierta. La construcción abierta propicia también cierto ensuciamiento, y la entrada de luz intensifica la formación de algas. En las paredes de la cisterna, que con frecuencia son metálicas y no están aisladas, se produce una condensación importante, debida a las diferencias de temperatura entre el depósito lleno de agua fría y el aire relativamente caliente y húmedo del cuarto de baño, que puede llegar a la obra de ladrillo.

El primer paso, también aquí, consiste en cerrar la válvula de escuadra y vaciar la cisterna tirando de la cadena. A continuación se suelta el tubo de descarga —primero en la cisterna y después en la taza del inodoro— y se vacía. El soporte de la cisterna, que a menudo es muy robusto y está empotrado en el muro, y también los tornillos, oxidados, muy adheridos y difíciles de aflojar, se cortan con la sierra para metales **(Fig. 1)**.
La entrada de agua se desplaza hacia abajo desde la válvula de escuadra antigua. Para ello se curva un tubo de cobre, tendiéndolo tan recto como sea posible y con el menor número de codos, hasta darle la forma requerida y se cierra por arriba y por abajo con uniones por aplastamiento **(Figs. 2 y 3)**.

Figura 1

Figura 2

Figura 3

Instalación de agua caliente

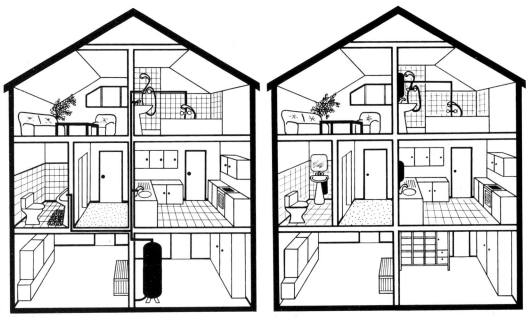

Figura 1

Figura 2

Existe un número tan grande de sistemas, tipos de aparato y combustible para la instalación de agua caliente que incluso los técnicos dudan en ocasiones acerca del tipo más apropiado para un caso concreto.

En la modernización y la renovación de una instalación es frecuente que se dependa de los sistemas ya existentes, sea una calefacción de gas o de petróleo o algún otro tipo de instalación.

También ocurre a menudo que sólo se puede realizar una instalación eléctrica porque faltan chimeneas y no existe la posibilidad de realizar otro tipo de conexiones.

¿Suministro centralizado o descentralizado?

Ésta es la primera decisión que hay que tomar. En un suministro de agua caliente centralizado, un calentador se encarga de abastecer a toda la casa **(Fig. 1)**. En general, el agua se calienta por medio de la caldera de la calefacción central. En el suministro descentralizado, en cada punto de toma individual se dispone de un calentador **(Fig. 2)**. De este modo cada consumidor puede calentar y consumir el agua que necesite.

Calentadores eléctricos

Los calentadores eléctricos, sean acumuladores **(Fig. 1)** o calentadores de paso **(Fig. 2)**, se utilizan para suministrar agua caliente a puntos de conexión individuales y, en ocasiones, también a grupos de varios puntos de consumo próximos.

Tienen la ventaja de que también se pueden conectar sin trabajos de instalación complicados en cualquier lugar donde ya exista una tubería de agua caliente.

El suministro de energía no presenta problemas, aunque

Figura 1

Figura 2

los aparatos con una potencia superior a los 2 kW necesitan una línea de conexión individual. Otra ventaja es la inexistencia de gases de escape, que hace que se pueda prescindir de una chimenea en contraposición con los productores de calor que utilizan gas o petróleo. Un inconveniente es su coste energético muy elevado, ya que la electricidad, en comparación con el gas o el petróleo, resulta cara para calentar agua. En verano, el suministro individual con electricidad puede ser más conveniente que una instalación de agua caliente centralizada.

Consumo de energía

Los acumuladores eléctricos, a pesar de su buen aislamiento,

ceden calor al ambiente. Por eso hay que contar con un rendimiento del 87 %, es decir, que el 13 % de la energía consumida se pierde en el proceso de calentamiento y en el almacenaje. Si con 1 kWh (1 kilovatio hora) teóricamente se pueden calentar 10 l de agua hasta 86°, teniendo en cuenta el rendimiento resulta que para un acumulador de agua caliente 1 kWh calienta 10 l de agua hasta 75 °C.

Los acumuladores o depósitos tienen valores de conexión inferiores con respecto a los calentadores de paso. Esto conduce a largos tiempos de calentamiento del agua. En un depósito de 10 l de 2 kW hay que esperar 18 minutos hasta obtener agua caliente a 60 °C. En un depósito de 200 l con una conexión de 2 kW se necesitan ya 6 horas para llegar a 60 °C.

La potencia de la línea de conexión y del correspondiente fusible debe determinarla el electricista.

Selector de temperatura

La temperatura del agua del depósito se puede ajustar fácilmente con un selector de temperatura.

Si se eligen temperaturas elevadas la capacidad del depósito puede ser menor porque el agua caliente se puede mezclar con mucha agua fría en términos relativos. De todos modos, no son aconsejables temperaturas superiores a 60°C ya que se deposita cal en el aparato y en las tuberías. Además, con temperaturas muy altas del depósito aumenta la cesión de calor al ambiente. Por eso es recomendable ajustar una temperatura media en el selector para el funcionamiento normal.

Conexión de los depósitos eléctricos

Existen dos tipos de depósitos: acumuladores abiertos (sin presión) y cerrados (a presión). Dado que la conexión eléctrica varía, los depósitos abiertos llevan una indicación clara en la chapa de características que los describe como calentadores de «presión nominal 0 bar». Estos aparatos sólo pueden conectarse con baterías mezcladoras especiales que permiten que gotee el agua que se dilata durante el proceso de calentamiento. El empleo de una batería mezcladora normal puede llegar a inutilizar el aparato. Los aparatos a presión están conectados a un grupo de seguridad. La válvula de seguridad montada en él deja que gotee el agua de dilatación y esto permite que el aparato pueda estar sometido a presión. Si la presión de conexión en la tubería de agua potable es superior a 6 bares, el grupo de seguridad debe incluir además una válvula de presión mínima.

Las baterías mezcladoras sólo funcionarán perfectamente si en la tubería de agua fría y en la de agua caliente la presión es casi la misma.

Calentadores de paso

Frente a los acumuladores, los calentadores de paso tienen la ventaja de que se puede conseguir agua caliente durante tanto

tiempo como se desee. De todos modos, el caudal en litros por minuto es limitado y, por lo tanto, se necesita más tiempo para llenar una bañera. Los calentadores de paso son apropiados para el suministro de puntos de consumo individuales o de varios muy próximos. El valor de conexión es muy elevado y por eso se necesita siempre una conexión con un interruptor de protección individual.

La unión a la tubería de agua fría y de agua caliente se efectúa normalmente en conexiones de 1/2 pulgada y existen múltiples posibilidades de conexión a la grifería.

La grifería mezcladora se puede montar directamente sobre revoque en el aparato y también es posible la instalación en el aparato bajo revoque. Los puntos de consumo más alejados se pueden alimentar igualmente con instalación sobre revoque o bajo revoque. Los fabricantes ofrecen combinaciones de grifería apropiadas para todas las conexiones.

Depósito de agua caliente bajo el lavabo

El suministro de agua caliente para lavabos individuales se efectúa a menudo mediante depósitos que se sitúan bajo la taza. Como se trata de aparatos sin presión que se alimentan de agua a través de la batería mezcladora, no se pueden utilizar las griferías habituales. En la taza se monta una batería «temperada» que tiene tres tubos de conexión marcados con colores distintos y flechas, en lugar de los dos tubos de las baterías mezcladoras normales. El tubo

de 10 mm para la entrada de agua fría se conecta a una válvula de escuadra. El segundo tubo de agua fría se conecta como entrada al depósito de agua caliente también con uniones por aplastamiento. El tercer tubo, marcado en rojo, efectúa finalmente la unión de agua caliente desde el depósito a la grifería.

Si se necesita agua caliente, se abre el grifo de agua caliente en la grifería. El agua fría circula entonces a través de la grifería mezcladora hasta el depósito y presiona hacia fuera el agua caliente contenida en él de modo que ésta sale a través de la grifería. La temperatura del agua caliente se regula en la salida mediante un mando de temperado. Como el agua del depósito se dilata durante el calentamiento, debe gotear continuamente. Por eso no se debe tratar de cortar este goteo en ningún caso apretando violentamente la válvula.

Debido al tipo de funcionamiento sin presión, el caudal de alimentación de agua fría no debe ser mayor que el de la salida de agua caliente durante el empleo. Por este motivo, en el tubo de agua fría se monta un tornillo estrangulador con el que se puede reducir el caudal según la correspondiente presión de alimentación.

Muchos depósitos de este tipo también se pueden utilizar situándolos por encima de la taza si se invierte la posición del aparato. Al hacerlo se intercambian las conexiones del agua caliente y el agua fría.

Para evitar equivocaciones los empalmes llevan grabadas flechas que señalan la dirección de circulación del agua. Al girar el aparato, la dirección de la fle-

Figura 1

Figura 2

cha se invierte mediante un anillo que cae y la forma de conexión se puede leer claramente en cualquier momento.

Montaje del calentador

Herramientas:
• Alicates para grifería (pico de loro)
• Nivel de burbuja
• Llave fija de 13 mm
• Llave fija de 17 mm

Operaciones:
• Colocar el carril mural

• Conectar el calentador a la grifería y conectar la toma de agua
• Efectuar la conexión eléctrica

En un lavabo con conexión de agua fría, por ejemplo, en una habitación para visitas o en el lavabo de los invitados, existe la posibilidad de instalar posteriormente un depósito de agua caliente. La instalación del depósito se realiza siempre antes de hacer la conexión del sifón, ya que requiere cierta libertad de movimientos. Al montar el depó-

sito hay que prestar atención a la horizontalidad del carril de soporte **(Fig. 1)**. La conexión de la grifería se efectúa también en este caso mediante empalmes por aplastamiento, y el montaje es sencillo porque siempre están claramente señaladas las conexiones de agua caliente y de agua fría **(Fig. 2)**. No es necesario acortar los tubos de la grifería ya que siempre existe espacio suficiente para colocar el depósito por debajo en una posición adecuada. La conexión eléctrica se efectúa mediante un enchufe.

Calefacción del baño

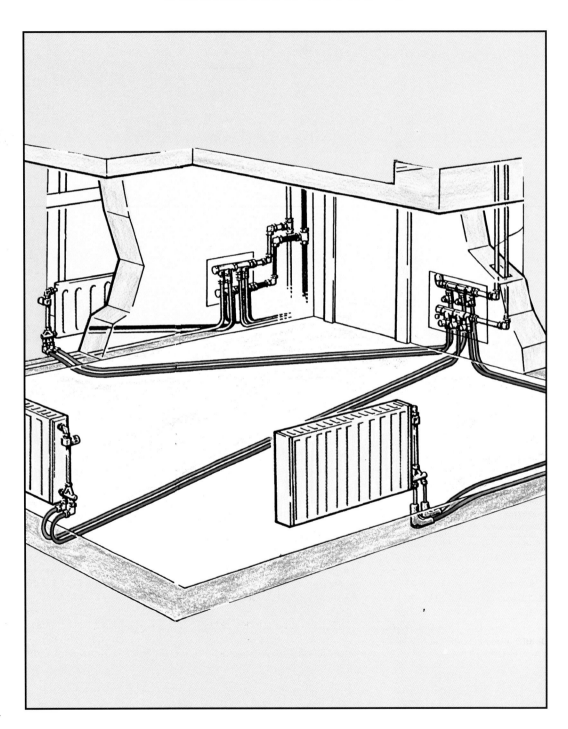

Trabajos en la calefacción

Consideraciones generales

Normalmente, en los trabajos de renovación se deben realizar también cambios en la calefacción y en los radiadores, y con frecuencia se aprovecha la oportunidad para adaptar todo el sistema a las últimas novedades técnicas.

Si sólo se trata de renovar un poco el cuarto de baño, tal vez bastará con sustituir los antiguos radiadores por válvulas de termostato. De esta forma se ahorra energía y se puede regular mejor la temperatura de la habitación.

Si los radiadores muestran señales de corrosión y tienen mal aspecto, se cambian también por otros nuevos.

Si al modernizar el cuarto de baño se renuevan los azulejos y las losetas del suelo, se puede incluir en el cambio la calefacción. Por ejemplo, se pueden montar radiadores en otro lugar más apropiado o instalar incluso una calefacción de suelo.

Advertencia. En todos los trabajos que se realicen en la calefacción existente hay que desconectar la calefacción y vaciar de agua los tubos. Además, en todos los trabajos de cierta importancia en el sistema de calefacción hay que consultar a un técnico, por ejemplo, si se quiere instalar una calefacción de suelo.

Figura 1

Figura 2

Montaje de un radiador

Herramientas y material:
- Taladradora y brocas
- Destornillador
- Llave para tuercas
- Alicates para tubo
- Cáñamo y masilla

Operaciones:
- Determinar la posición y los puntos de fijación del radiador
- Taladrar los orificios para los tacos
- Montar el soporte del radiador
- Colgar el radiador
- Montar los tapones de cierre, la válvula de evacuación de aire y la válvula del radiador

Figura 3

Figura 4

- Hacer las conexiones de tubo al circuito de calefacción

El radiador se puede montar con soportes en la pared o, si la pared no puede soportar el peso, colocado en el suelo sobre repisas de apoyo.

En primer lugar se atornillan los soportes del radiador (**Fig. 1**). Luego se cuelga el radiador, se fija (**Fig. 2**) y se montan los tapones ciegos necesarios, la válvula de evacuación de aire (**Fig. 3**) y el empalme para la válvula del radiador. Las roscas se impermeabilizan cuidadosamente a mano con cáñamo y masilla (**Fig. 4**); también se puede utilizar cinta selladora. Por último, se debe realizar todavía la conexión al sistema de tubos del circuito de calefacción y la colocación de la válvula de termostato. Los radiadores se pueden conectar directamente a las tuberías ascendentes o a través del distribuidor del piso.

Una vez acabados todos los trabajos de montaje se procede a encajar el mando del termostato.

Figura 1

Figura 3

Colocación de la válvula de termostato

Si se colocan válvulas de termostato en los radiadores, se puede regular de forma adecuada la temperatura de una habitación, con independencia de la de otros espacios de la vivienda.

La temperatura que se ha ajustado se mantiene constante aunque el sol entre por la ventana u otras fuentes de calor calienten la habitación de forma irregular. Con las válvulas de termostato se consigue además un ahorro de energía que puede llegar al 15 %.

Herramientas y material:
• Destornillador
• Dos alicates para tubo
• Cáñamo y masilla o cinta selladora

Operaciones:
• Vaciar de agua el circuito de calefacción
• Desenroscar la válvula antigua

Figura 2

• Impermeabilizar la válvula de termostato
• Colocar la válvula del termostato
• Colocar el mando del termostato

Importante. Antes de empezar el trabajo, desconecte la calefacción; luego deberá vaciar de agua los tubos de la calefacción.

Ahora puede aflojar un poco los tornillos de fijación para ganar un poco de holgura (**Fig. 1**). Con un destornillador quite el regulador de la válvula vieja (**Fig. 2**).

Figura 4

Luego desenrosque con unos alicates para tubo el empalme entre la válvula y el radiador (**Fig. 3**). A continuación se separa la válvula vieja del tubo de calefacción con los alicates para tubo (**Fig. 4**).

Antes de montar la válvula nueva, la rosca se ha de envolver con cáñamo y masilla o cinta sellante (**Fig. 5**).

Para ello debe utilizar unos alicates para tubo con mordazas blandas de plástico como las que se utilizan también para el montaje de grifería.

Ahora deberá roscar en primer

Figura 5

Figura 7

Figura 6

Figura 8

lugar la nueva válvula al extremo del tubo, y luego, al radiador **(Fig. 6)**; a veces es conveniente mover un poco el radiador. Si las dimensiones de la válvula antigua y de la nueva no coinciden, las pequeñas diferencias se pueden solucionar con una conexión de radiador flexible y extraíble **(Fig. 7)**.

Únicamente cuando haya roscado la válvula nueva podrá colocar el mando del termostato **(Fig. 8)**.

El termostato es necesario que vaya orientado de modo que la marca para el ajuste señale hacia arriba. Manténgalo en esta posición y entonces apriete la tuerca de racor sin forzarla.

Para la puesta en servicio de la calefacción vuelva a llenar de agua el sistema de tuberías; el aire se elimina individualmente en todos los radiadores. Ahora puede ajustar la temperatura de la habitación en el termostato. La dilatación de un cartucho de un material especial hace que el circuito de agua en el radiador se regule hacia abajo cuando se ha alcanzado la temperatura de la habitación deseada.

Indice alfabético